comment peindre à l'huile

José M.ª Parramón

Bordas

Titre original de l'ouvrage: "Así se pinta al óleo"
© José M.ª Parramón Vilasaló. Barcelona, 1970.

© Bordas, Paris, 1973, pour la traduction française
ISBN: 2-04-004380-2
Dépôt légal: juin 1990
Dépôt légal de la première édition: 1973

La couverture de ce livre a été réalisée par
José M.ª Parramón.

La traduction est de Michèle Delamorinière.

Imprimé en Espagne par Índice, S.A.
Barcelona.
Dépôt légal: B-22.099-90
Numéro d'éditeur: 785

TABLE DES MATIÉRES

La collection que nous présentons offre de larges possibilités d'initiation et de formation. Elle s'adresse à tous ceux qui, individuellement ou en communauté, découvrent les voies de la création artistique. «Genèses exquises», disait Valéry, non plus aujourd'hui réservées à une élite choisie, mais accessibles à tous ceux que l'effort créateur vivifie et exalte.

Guidé pas à pas, l'amateur solitaire ou l'animateur trouvera une réponse aux problèmes de technique qu'une réflexion créative ne manque pas de susciter.

Ces ouvrages mettent à la disposition du public la palette la plus complète possible des différents moyens d'expression, décrivant l'outillage, exposant la technique, démontrant étape par étape les phases de la création et de l'exécution.

Les ouvrages consacrés à l'initiation aux techniques ont été rédigés le plus souvent sous la forme d'un cours direct. Chaque leçon se déroule d'une façon active. La théorie est suivie d'exercices pratiques expliqués, détaillés, aux difficultés progressives.

De nombreuses illustrations permettent spontanément de voir et de mieux comprendre l'évolution de la technique artistique. Des anecdotes apportent un délassement nécessaire tout en enrichissant les connaissances générales.

Un résumé des idées forces, des lois essentielles, termine souvent les chapitres-clés pour permettre une meilleure assimilation.

Puisse cette collection simplifier votre tâche dans la connaissance ou la pratique de votre choix.

ÉTUDE DES MATÉRIAUX

Ceci se passait en la ville de Bruges, capitale de la Flandre Occidentale, aux environs de 1420.

Un certain jour de cette année-là, le peintre Jean Van Eyck, plus connu alors sous le nom de Jean de Bruges, s'adressait dans son atelier à un groupe d'artistes, en ces termes :

«Nous continuons à peindre comme il y a cent, deux cents, trois cents ans ; les préjugés et les conventions de l'époque gothique sont toujours les nôtres : nos personnages se détachent sur un fond doré, vide, sans vie, sans liens avec la réalité, avec la vérité. Voici ce que je vous propose : peignons les hommes, les femmes, les arbres, les champs, tels qu'ils sont réellement. C'est la vie quotidienne, la vérité qui nous entoure que je vous propose de peindre.»

Le groupe approuva. Il y avait là celui qu'on appela le Maître de Flemalle, le célèbre Van der Weyden, le jeune Petrus Christus... Tous s'efforcèrent, dès lors, de peindre avec ce réalisme prêché par Jean de Bruges.

Ils créèrent une école : la célèbre Ecole Flamande, dont les continuateurs furent par la suite Bouts, Van der Goes, Memling, Bosch, Bruegel, Rubens, Van Dyck, Jordaens, Rembrandt...

La Vierge à l'Enfant avec les Anges, peinture gothique due à l'artiste florentin Cimabue, vers 1272 (Musée du Louvre, Paris). Cimabue fut sans doute l'un des artistes dont les efforts pour humaniser l'art gothique donnèrent les meilleurs résultats. Cependant, son style reflète les caractéristiques habituelles de la peinture gothique : personnages sur fond doré, irréels; expressions et attitudes figées; composition conventionnelle. Ces caractéristiques demeureront inchangées jusqu'à la fin du XIIIᵉ siècle qui marque l'entrée en scène de Giotto, grand précurseur de la peinture moderne.

Que Van Eyck ait donné naissance à un mouvement artistique tel que l'École flamande, dont le retentissement allait être immense en Europe, n'a rien d'étonnant. Il avait, en effet, déjà donné les preuves d'une intelligence peu commune en faisant, dix ans auparavant, une découverte fondamentale pour la peinture.

Jusqu'en 1410, la technique employée par tous les artistes pour les tableaux et les retables était celle de la «tempéra», ou détrempe à l'œuf. Longtemps auparavant, on s'était déjà rendu compte qu'en appliquant une couche d'huile sur la détrempe à l'œuf, les couleurs, ravivées, retrouvaient l'intensité et l'éclat des premiers jours. Dans le livre «Diversarum artium schedula», écrit en 1200 par le moine Théophile, il était déjà conseillé d'étendre une couche d'huile d'olive sur la détrempe. Mais l'huile d'olive ne parvenait pas à sécher et il fallait exposer les tableaux au soleil des heures entières, voire même des jours entiers, au risque de voir la peinture se détériorer, les couleurs noircir, les blancs perdre leur intensité...

La légende raconte que Jean Van Eyck, sur les conseils de Théophile, exposa un jour au soleil, pour le faire sécher, l'un de ses tableaux. Au bout de quelques heures, il eut le déplaisir de constater, en allant le retirer, que la peinture s'était craquelée.

Portrait des époux *Arnolfini*, peint en 1434 par Jean Van Eyck (National Gallery, Londres). C'est l'une des œuvres les plus célèbres du grand artiste flamand ; elle représente un nouveau style qui coïncide avec les débuts de la Renaissance. L'artiste y met en pratique les principes de l'École Flamande dont il est à la fois le créateur et le propagateur. Le réalisme prêché par Van Eyck y apparaît dans toute sa splendeur. Le soin avec lequel il étudie chaque détail du fond prouve le souci qu'a l'artiste de représenter la vérité simple et pure des objets et des instruments qui font partie de la vie quotidienne. La froide exactitude des formes y apparaît comme voilée par les vibrations de la lumière, créant la véritable sensation d'une atmosphère.

Dès lors, Van Eyck n'eut de cesse qu'il eût trouvé une huile qui séchât à l'ombre. Il s'aperçut d'abord que l'huile de lin et l'huile de noix séchaient assez facilement ; mais ce n'est que plus tard, au cours de ses expériences, qu'il constata qu'en mélangeant une petite quantité de «vernis blanc de Bruges» à de l'huile de lin, il obtenait pour résultat un vernis qui séchait à l'ombre sans la moindre difficulté ! (L'on sait aujourd'hui que «le vernis blanc de Bruges» était une sorte de térébenthine semblable à celle que l'on emploie actuellement pour diluer les couleurs à l'huile.)

Van Eyck tenta alors de diluer dans de l'huile de lin et du vernis blanc de Bruges ces mêmes terres colorées employées pour peindre à la détrempe. Il constata que les couleurs pouvaient être appliquées liquides ou épaisses, en glacis ou en pâtes couvrantes ; pendant qu'elles séchaient, on pouvait rectifier nuances et couleurs ; celles-ci conservaient l'intensité et l'éclat initiaux ; enfin, elles séchaient parfaitement sans qu'il fût nécessaire d'exposer le tableau au soleil.

Un grand pas avait été fait : Van Eyck, le fondateur de l'École flamande, venait de découvrir la meilleure manière de peindre : la peinture à l'huile était née.

CARACTÉRISTIQUES GÉNÉRALES DE LA
PEINTURE A L'HUILE

COMPOSITION DES COULEURS
À L'HUILE

On peut dire, en termes généraux, que les peintres d'aujourd'hui utilisent, pour peindre à l'huile, les mêmes ingrédients que ceux employés, cinq siècles auparavant, par Van Eyck.

A) DES COULEURS OU PIGMENTS, offrant généralement l'aspect d'une poudre. On les classe en couleurs organiques d'origine végétale ou animale, en couleurs inorganiques ou minérales, et en couleurs de synthèse nées de l'industrie chimique.

B) DES LIANTS ou substances liquides, composés d'huiles grasses, sans oublier les résines, les baumes et les cires.

La peinture à l'huile n'a pas l'exclusivité de l'emploi des couleurs ou pigments énumérés. Ce sont, à vrai dire, des couleurs et des pigments communs à toutes les techniques, servant à fabriquer toutes sortes de couleurs. Ce sont des couleurs en poudre qui, mélangées à de l'eau, de la gomme arabique, du miel et de la glycérine nous donnent, par exemple, les couleurs à l'aquarelle; nous obtenons avec de l'eau, des substances gommeuses et des huiles, les couleurs au pastel; ou bien , dans le cas qui nous occupe, les couleurs, broyées et liées avec des huiles grasses, des résines, des baumes et des cires, deviennent les couleurs à l'huile.

Enfin, Van Eyck n'a pas découvert les couleurs, c'est-à-dire les pigments, mais les liants, ou plutôt l'huile qui nous permet, depuis lors, de «peindre» selon cette technique.

LES COULEURS

Ce sont des pigments en poudre.

On peut les classer en blancs, jaunes, rouges, bleus et verts, bruns et noirs.

1. LES BLANCS

Les plus courants sont le *blanc de plomb* (appelé aussi *blanc d'argent*), le *blanc de zinc* et le *blanc de titane*.

BLANC D'ARGENT : Son opacité est grande, sa force couvrante aussi. Il sèche vite. Ces qualités peuvent être utilisées lorsqu'il s'agit d'une facture à base de pâtes épaisses; il convient aussi aux fonds et aux premiers stades. Il ne faut pas oublier qu'il est très toxique, surtout lorsque l'artiste prétend fabriquer lui-même ses couleurs : le seul fait de respirer la poudre peut avoir les conséquences les plus graves. Comme toutes les couleurs à base de plomb, il risque de se ternir et de griser avec le temps. Il n'est pas employé pour les couleurs à l'aquarelle.

BLANC DE ZINC : Le ton est plus froid que celui du blanc d'argent ; il est moins dense, moins couvrant et sèche plus lentement. Cette dernière caractéristique devient un avantage lorsque l'artiste qui peint à l'huile, en plusieurs séances, préfère travailler sur un fond pas tout à fait sec. Il n'est pas toxique.

BLANC DE TITANE : C'est un pigment moderne, très solide, d'une opacité et d'une siccativité normales, sans grands défauts, d'où son emploi par la majorité des artistes.

Dans la peinture à l'huile, comme dans toute autre sorte de peinture opaque (la détrempe) ou comme dans le pastel, le blanc est une des couleurs les plus employées ; les tubes de blanc à l'huile sont donc d'une taille supérieure à la moyenne.

2. LES JAUNES

On peut citer comme étant d'usage courant : le *jaune de Naples*, le *jaune de chrome*, *l'ocre jaune* et la *terre de Sienne naturelle*.

JAUNE DE NAPLES : Il provient de l'antimoniate de plomb ; c'est l'une des couleurs les plus anciennes ; il est opaque et sa siccativité est satisfaisante. Toxique, comme toutes les couleurs à base de plomb, il peut être mélangé à n'importe quelle autre couleur sans subir d'altérations, à condition d'être parfaitement pur et de bonne qualité. Rubens l'employait de préférence, surtout pour les carnations.

JAUNE DE CHROME : Dérivé du plomb et par conséquent toxique, ses nuances sont nombreuses, depuis le jaune très clair, tendant vers le jaune citron, jusqu'au jaune très foncé, presque orangé. Il est opaque et d'une bonne siccativité, mais il offre peu de résistance à la lumière et a tendance à noircir, surtout dans les nuances claires.

JAUNE DE CADMIUM : C'est une bonne couleur, puissante, brillante, à siccativité lente, mais susceptible d'être mélangée à toutes les couleurs, sauf les couleurs au cuivre. On ne l'emploie pas pour peindre à la fresque, mais elle est excellente et des plus utilisées pour peindre à l'huile.

OCRE JAUNE : C'est une couleur à base de terre, classique et des plus anciennes, d'un grand pouvoir colorant et couvrant, inaltérable et susceptible d'être mélangée à toutes les couleurs, sans difficultés, à condition d'être pure. On la fabrique aussi artificiellement sans altérer ses qualités.

TERRE DE SIENNE NATURELLE : Couleur, elle aussi, à base de terre, qui provient de Sienne (Italie); c'est une belle couleur brillante qui, en tant que couleur à l'huile, risque de noircir, car elle doit être diluée dans une grande quantité d'huile. Il n'est donc pas recommandé de l'utiliser pour les grands fonds. Mais c'est un excellent pigment lorsque le liant ne nécessite pas d'huile, comme dans les couleurs à la détrempe ou à la gouache.

3. LES ROUGES

Nous pouvons distinguer parmi les plus employés : la *terre de Sienne brûlée,* le *rouge vermillon,* le *rouge de cadmium* et le *carmin de garance.*

TERRE DE SIENNE BRÛLÉE : Elle offre les mêmes caractéristiques que la Terre de Sienne naturelle, en plus sombre, avec des nuances rougeâtres; on peut cependant l'employer dans toutes les techniques, y compris l'huile, et avec moins de risques de noircissement. Les maîtres anciens l'utilisèrent abondamment, surtout les Vénitiens. Quelques auteurs soutiennent que c'était le rouge employé par Rubens pour rendre brillants les rouges des carnations et les lumières qui s'y reflétaient.

ROUGE VERMILLON : C'est un rouge lumineux, à base de minéraux, fabriqué lui aussi, artificiellement. Son pouvoir couvrant est grand, sa siccativité moins bonne. Il est employé dans toutes les techniques, mais il tend à noircir au contact de la lumière. Il n'est pas conseillé de le mélanger aux couleurs à base de cuivre ou de plomb.

ROUGE DE CADMIUM : Il remplace avantageusement le rouge vermillon car il ne noircit pas à la lumière. C'est une couleur brillante, solide, pouvant être mélangée à toutes les autres couleurs, excepté aux couleurs à base de cuivre, comme le vert opaque.

CARMIN DE GARANCE : Couleur très solide qui fournit une riche gamme de tons roses, pourpres et carmins. Elle est plutôt fluide, sèche lentement et peut être utilisée dans toutes les techniques, excepté la fresque.

4. BLEUS ET VERTS

Sont couramment employés: la *terre verte*, le *vert permanent*, le *vert émeraude*, le *bleu de cobalt*, le *bleu outremer* et le *bleu de Prusse*.

TERRE VERTE: Couleur dérivée de l'ocre qui fournit un vert tirant sur le brun kaki. C'est une couleur très ancienne, utilisable dans toutes les techniques, d'une siccativité moyenne. Elle donne une pâte très couvrante.

VERT PERMANENT: C'est une couleur vert clair, lumineuse, qui provient d'un mélange d'oxyde de chrome et de jaune citron de cadmium d'une grande stabilité.

VERT ÉMERAUDE: Il ne faut pas le confondre avec le vert Schweinfurt ou vert opaque qui, à son tour, est appelé, dans quelques tables de couleurs, vert émeraude. Ce dernier est à déconseiller. Le vert auquel nous nous référons, est le meilleur des verts tant par sa richesse que par sa stabilité et sa solidité.

BLEU DE COBALT: C'est une couleur métallique, non toxique, que l'on peut employer dans toutes les techniques. Son pouvoir couvrant est bon, sa siccativité satisfaisante. Mais si on l'applique sur des couches de peinture non sèches, il se craquelle. Dans la peinture à l'huile, étant donné la quantité d'huile qu'il réunit, il peut, avec le temps, prendre une légère teinte verdâtre. Il offre des nuances claires et foncées.

BLEU OUTREMER: Comme le bleu de cobalt, c'est une couleur très ancienne qui provient d'une pierre semi-précieuse, le lapis-lazuli, ce qui explique son prix très élevé. Aujourd'hui on le fabrique artificiellement. Il est d'une bonne siccativité et peut être utilisé par toutes les techniques, sauf la fresque en plein air, car la couleur se décompose. On le trouve dans les nuances claires et les nuances foncées, qui tirent davantage sur le rouge que le bleu de cobalt.

BLEU DE PRUSSE: Appelé aussi bleu de Paris lorsqu'il est mélangé à l'alumine, il est d'un grand pouvoir couvrant; transparent, il sèche bien mais présente des inconvénients. Il n'est pas fixe à la lumière (mais il a cette particularité de revenir à sa tonalité première si on le laisse à nouveau dans l'obscurité). Le mélange avec le rouge vermillon et le blanc de zinc est à déconseiller.

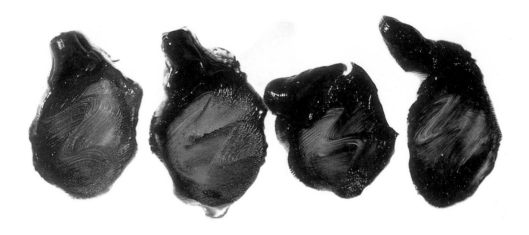

5. LES BRUNS

Les plus employés sont la *terre d'ombre naturelle et brûlée, et la terre de Cassel ou brun Van Dyck.*

TERRE D'OMBRE NATURELLE ET BRÛLÉE : Ces deux couleurs sont des terres naturelles calcinées. Elles sont très foncées. La terre d'ombre naturelle offre une légère teinte verdâtre alors que la terre d'ombre brûlée est légèrement rougeâtre. Employées dans toutes les techniques, elles noircissent cependant avec le temps. Leur siccativité est rapide. Il est déconseillé de les appliquer en couches épaisses pour éviter les craquelures.

TERRE DE CASSEL OU BRUN VAN DYCK : D'une tonalité foncée, semblable aux deux précédentes, elle est à déconseiller pour les fonds à l'huile, car elle se craquelle facilement. Il est difficile de la travailler, on l'emploie pour les glacis, les retouches; en mélanges pour des surfaces limitées. Elle est meilleure pour l'aquarelle. A la fresque, elle devient grise, froide et sale.

6. LES NOIRS

Les plus connus sont le *noir de fumée* et le *noir d'ivoire.*

NOIR DE FUMÉE : Plutôt froid, il est stable et peut être employé dans toutes les techniques.

NOIR D'IVOIRE : Plus chaud, il fournit un noir plus intense que le précédent et s'emploie dans toutes les techniques.

LES LIANTS

L'HUILE DE LIN. C'est une huile grasse extraite par pression à froid des graines de lin. Elle est jaune clair et sèche bien (en 3 ou 4 jours). Elle doit être pure et propre pour éviter de noircir les couleurs.

TABLEAU DES COULEURS D'USAGE COURANT

Jaune de cadmium citron   ✻ Jaune de cadmiun moyen   ✻ Ocre jaune

Terre de Sienne naturelle   Terre de Sienne brulée   ✻ Terre d'ombre brûlée

Rouge de cadmium moyen   ✻ Carmin de garance foncé   ✻ Vert émeraude

✻ Bleu de cobalt foncé   ✻ Bleu d'outremer foncé   ✻ Bleu de prusse

A cette liste, il faut ajouter le blanc de titane.

On l'utilise pour diluer et lier les couleurs ; la quantité employée dépend de la structure et de la finesse de celles-ci. On l'utilise également comme dissolvant au moment de peindre. Elle intervient aussi dans la préparation des enduits, c'est-à-dire dans la préparation des toiles, des cartons, des planches..., pour peindre à l'huile.

Il faut mentionner également, pour ce qui est des huiles grasses, *l'huile de noix* et *l'huile de pavot*. Leur siccativité est plus lente.

L'ESSENCE DE TÉRÉBENTHINE. C'est une huile volatile d'origine végétale. Elle est blanche, transparente, et répand une odeur forte et aromatique. Au contact de l'air, elle sèche rapidement par évaporation. L'essence de térébenthine n'est pas un liant à proprement parler, mais un moyen irremplaçable pour diluer les couleurs et dissoudre les baumes, résines et cires. C'est également le meilleur dissolvant des couleurs à l'huile, au moment même de peindre. Mais nous en reparlerons.

GOMME MASTIC ET GOMME DAMMAR. Ce sont des résines employées en peinture à l'huile comme vernis et diluants qui devraient prévenir et éviter les rides, la formation d'un voile sur les couleurs, et par la suite leur contraction et leur destruction au cas où la peinture « sèche de l'intérieur ». Elles sont solubles au bain-marie, dans l'essence de térébenthine. Mais ces vernis risquent à la longue de s'obscurcir et aussi de se voiler.

CIRE D'ABEILLES. C'est une cire vierge. Dans la peinture à l'huile, elle sert de liant aux couleurs en tube. Elle empêche l'huile de se séparer des couleurs et élimine le risque de solidification et de dessèchement dans le tube. Elle donne à la couleur une meilleure consistance. Il suffit d'un mélange de 2% de cire fondue et d'essence de térébenthine pour obtenir ce résultat.

Ce que j'ai dit des couleurs-pigments et des liants devrait suffire, il me semble, à vous donner une idée assez complète de ce qu'ils sont et de ce que sont les couleurs à l'huile. Pour compléter ces notions, je pourrais maintenant transcrire ici quelques formules de liants et vous expliquer ensuite comment se fait le broyage des couleurs, quels ustensiles il nécessite, quelle quantité d'huile il faut prévoir pour chaque couleur, etc... Vous seriez alors capable de préparer vos propres couleurs. Mais est-ce bien utile d'approfondir ces connaissances ?

EN RÉPONSE À UN VIEUX DILEMME

Est-ce intéressant pour l'artiste amateur ou professionnel d'apprendre à fabriquer lui-même ses couleurs ?

Si vous consultez quelques ouvrages spécialisés sur les techniques et les matériaux de peinture, vous en arriverez à conclure qu'en effet, il vous faut les préparer vous-même, suivant en cela l'exemple des maîtres anciens et repousser l'idée de les acheter toutes préparées : ces dernières sont loin d'offrir une garantie absolue de qualité ; vous courez en outre le risque de voir jaunir vos tableaux, noircir les couleurs, se craqueler la peinture..., etc...

Mais si toutefois il vous faut des preuves d'ordre pratique, visitez des ateliers, questionnez des peintres célèbres, et vous constaterez qu'aucun des artistes d'aujourd'hui ne prépare lui-même ses couleurs. Tous sans exception les achètent prêtes à être utilisées. Voilà qui est significatif et contredit les ouvrages mentionnés.

Tous les documents, tous les livres du passé, lorsqu'ils nous parlent de l'atelier ou travaillaient les maîtres anciens, de Van Eyck à Goya, en passant par Titien, Léonard de Vinci, Michel-Ange, Raphaël, Vélasquez, Le Greco, Rubens, Rembrandt, le décrivent comme une grande pièce à l'intérieur de laquelle était aménagée une sorte de cuisine (parfois attenante) ou laboratoire rudimentaire. L'artiste y fabriquait ses couleurs à l'huile, à la détrempe, à fresque.

Nous pouvons imaginer, en accord avec le savant érudit Maurice Bousset, une cuisine aux étagères chargées de fioles et de flacons soigneusement étiquetés et hermétiquement clos. Nous aurions pu y lire des noms encore en usage de nos jours dans les tables de couleurs des fabricants modernes : «Blanc de plomb, Jaune de Naples, Vert Véronèse, Bleu Outremer»... Près d'eux, dans des bouteilles et des pots de terre cuite, toute une gamme de liquides et de produits, d'huiles, de vernis, aux noms bien familiers : «Huile de lin, huile de noix, gomme mastic, essence de térébenthine, cire vierge»...

Dans un coin, un feu, et au centre, devant les étagères, une table robuste recouverte d'une plaque de porphyre. Tout près, plusieurs mortiers, des pilons, des spatules, des pinceaux, des éprouvettes graduées...

Artiste broyant les couleurs (XVIIᵉ siècle. D'après Ryckaert). Gravure sur bois de Maurice Bousset.

La fabrication ne posait pas de problèmes en soi, il s'agissait de diluer la couleur en poudre dans de l'huile, de la broyer dans le mortier ou à la main, à même la pierre, en prenant soin de préparer auparavant l'huile mélangée aux vernis et aux cires. C'était un travail d'artisan qui exigeait de l'artiste beaucoup de temps.

La difficulté était de trouver toujours des produits purs, de bonne qualité ; l'artiste devait étudier une ou plusieurs formules adaptées à sa manière de peindre ; celles-ci devaient également offrir un minimum de garanties quant à leur siccativité, leur inaltérabilité, leur solidité, leur conservation future...

On peut affirmer, si l'on en juge d'après le nombre de formules et de proportions connues, que chaque maître avait la sienne. Tandis que Léonard de Vinci «changeait l'huile à chaque fois», Dürer employait de «l'huile de noix qu'il filtrait au moyen de charbon tamisé»; Titien employait «de l'essence de lavande et de l'huile de pavot clarifiée au soleil»; Rubens, lui, peignait au «vernis de coprah, à l'huile de pavot, et à l'essence de lavande»... (d'après Max Doerner et Maurice Bousset).

Ces essais et ces recherches d'artisans, tantôt couronnés de succès, tantôt voués à l'échec, se prolongèrent jusqu'au milieu du siècle dernier. Puis la révolution industrielle s'empara également du domaine de la fabrication des couleurs. Des usines naquirent, d'abord modestes. Il ne faut point s'étonner que ces dernières, soit par manque d'expérience, soit par manque de scrupules, aient fabriqué de très mauvaises couleurs qui, quelques années après, jaunissaient ou noircissaient, ne toléraient aucun mélange, etc... Malheureusement, ces débuts coïncidèrent avec l'un des mouvements les plus spectaculaires de la peinture moderne : l'Impressionnisme. Cette manière de peindre, révolutionnaire, exigeait à la fois d'épaisses couches de pâte colorée, des fonds plats, des couleurs brillantes, lumineuses... L'inévitable se produisit... les impressionnistes employèrent ces couleurs toutes nouvelles et leurs tableaux servirent de cobayes... Nombreux sont aujourd'hui les tableaux tachés, aux couleurs altérées, aux blancs presque jaunes, aux bleus qui tirent sur le vert, aux bruns et aux ocres noircis...

Mais de là à dire, comme certains traités de peinture le font encore aujourd'hui, qu'il faut, pour éviter ces échecs, revenir au travail d'artisan des vieux maîtres et fabriquer soi-même ses couleurs à l'huile, il y a loin...

Nous ne reviendrons plus sur ce sujet. Laissons aux fabriques de couleurs modernes le soin de rechercher, de découvrir, d'élaborer nos couleurs à l'huile. Leurs connaissances et les moyens dont elles disposent surpassent de loin ceux qui avaient cours dans les vieilles officines d'autrefois.

Nous ferons les mêmes réserves pour la préparation des toiles, des cartons et des planches utilisés pour peindre à l'huile ; il n'est pas davantage conseillé de les préparer chez soi, étant donné les surfaces toutes préparées que nous offrent les laboratoires industriels. Maurice Bousset écrivait déjà en 1927: «Les nouvelles couleurs sont supérieures aux anciennes»; après avoir loué la beauté de la gamme des jaunes de cadmium, il ajoutait: «Si Rubens avait eu à sa disposition une telle gamme, nous admirerions aujourd'hui ses toiles dans l'état de leur fraîcheur primitive, car les jaunes vifs qu'il employait ont entièrement disparu.»

Puisque nous avons résolu ce dilemme, allez dans un magasin, demandez une bonne marque de couleurs à l'huile —si toutefois vous ne regardez pas à la dépense—, et peignez.

COULEURS, MATÉRIAUX ET USTENSILES POUR PEINDRE A L'HUILE

L'ACHAT DES COULEURS À L'HUILE

—Je voudrais des couleurs à l'huile.

Vous venez d'entrer dans un bon magasin, dans l'un de ces commerces consacrés à la vente de matériel de dessin et de peinture. L'employé vous répond:

—Quelle marque? Quelle taille? Grands tubes? Tubes moyens?

Voici ce qu'il vous faut savoir pour répondre et faire vos achats en connaissance de cause:

MARQUES. On peut acquérir les marques suivantes dont les qualités sont garanties: Talens, Lefranc-Bourgeois, Pébéo, J. M. Paillard, Linel, Winsor, Grumbacher, Titan. La préférence pour l'une ou l'autre de ces marques vient d'un critère personnel, en fonction d'une couleur déterminée, de la qualité de la pâte, etc... L'adoption d'une marque déterminée pour toutes les couleurs —sauf une ou deux qui proviennent de marques différentes— est courante chez les professionnels.

ASSORTIMENT DES COULEURS. Les magasins les plus importants disposent de tables des couleurs fournies par les fabricants eux-mêmes. Ces tables sont généralement très longues, allant de 75 à 90 couleurs différentes. Nous pourrions donner raison au professeur Max Doerner, auteur d'un ouvrage très important consacré aux matériaux, lorsqu'il se plaint de ces listes de couleurs aussi interminables que confuses. Prenons par exemple la liste des jaunes d'une table américaine: «Jaune citron, Jaune de cadmium citron, Jaune de cadmium clair, Jaune de cadmium moyen, Jaune de cadmium foncé, Jaune de zinc, Jaune de cobalt, Jaune de Naples, Jaune de Naples orangé, Jaune de chrome clair, moyen, foncé...»

Soyons clairs : peu d'artistes travaillent avec plus de dix couleurs, au maximum douze, sans compter le blanc et le noir. Parmi ces dix ou douze couleurs, il faut compter les trois couleurs primaires : le jaune, le rouge, le bleu, qui correspondent à un jaune de cadmium moyen, à un carmin de garance foncé et à un bleu de cobalt foncé ; on peut adjoindre un bleu de Prusse. Puis il faudra un ocre, une terre de Sienne, un rouge, un vert, un autre bleu... et c'est tout. La liste est complète et c'est celle de la plupart des professionnels.

COULEURS COURAMMENT EMPLOYÉES PAR LES PROFESSIONNELS (1)

Jaune de cadmium citron	* *Rouge de cadmium moyen*
* *Jaune de cadmium moyen*	* *Carmin de garance foncé*
* *Ocre jaune*	* *Vert émeraude*
Terre de Sienne naturelle	* *Bleu de cobalt foncé*
Terre de Sienne brûlée	* *Bleu outremer foncé*
* *Terre d'ombre brûlée*	* *Bleu de Prusse*

Blanc de titane

Noir d'ivoire

Au total, douze couleurs, sans compter le blanc et le noir. Remarquez que, parmi les douze couleurs citées, neuf d'entre elles sont précédées d'un astérisque, ce qui veut dire que les trois autres pourraient être supprimées dans le but de réduire la liste. Le blanc est indispensable, tandis que le noir peut être supprimé à bon droit si nous considérons qu'il se compose d'un mélange de bleu de Prusse, de carmin et de vert, ou de bleu de Prusse, de carmin et de terre de Sienne brûlée...

PRÉSENTATION. Les couleurs à l'huile sont présentées exclusivement en tubes d'étain fermés d'un bouchon vissé. Chaque marque offre jusqu'à quatre ou cinq tailles de tubes, de contenance différente.

A titre d'indication, voici la table des mesures des couleurs à l'huile de la marque Lefranc - Bourgeois :

---

(1) Il conviendrait de revoir à ce sujet les leçons contenues dans le livre "La couleur et le peintre" de cette même collection. Quelques-unes des idées exprimées ici le sont déjà dès la page 6 et dans les pages suivantes de cet ouvrage. Une seconde lecture exhaustive serait utile au moment d'aborder la peinture à l'huile ; elle servirait de préambule à l'étude de la couleur en général, car son contenu s'applique tout particulièrement à la technique de la peinture à l'huile.

TABLE DES MESURES ET DES CAPACITÉS DES TUBES À L'HUILE LEFRANC-BOURGEOIS

Tube	Longueur du tube en cm	Contenance du tube en cm^3
6	7,8 cm	18 cm^3
7	9,4 cm	22 cm^3
9	9,8 cm	38 cm^3
10	12,5 cm	48 cm^3

Il convient de rappeler, au moment d'acheter des couleurs, la nécessité de se munir toujours d'une plus grande quantité de blanc car c'est la couleur la plus employée. En accord avec la table précédente, un assortiment de tubes de couleurs n° 6 exigera un tube de blanc n° 7 au minimum, ou mieux encore, un tube n° 10.

Les couleurs à l'huile sont chères. Un tube laissé ouvert, un tube mal fermé, voilà qui peut détruire la couleur, soit qu'elle épaississe, soit qu'elle devienne à l'intérieur du tube aussi dure que la pierre. Donc, n'oubliez pas de bien refermer le tube après chaque séance.

Un conseil enfin, au cas où le bouchon de votre tube resterait collé au pas de vis parce que vous êtes demeuré quelques jours sans peindre, ou que vous l'avez peu utilisé. N'essayez surtout pas de dévisser le bouchon en forçant : vous vous exposez à rompre le tube. Faites simplement ceci : enflammez une allumette et appliquez la flamme sur le bouchon vissé ; lorsque celui-ci est chaud, dévissez-le avec un chiffon pour ne pas vous brûler.

LES PINCEAUX

—Donnez-moi, s'il vous plaît, deux ou trois pinceaux pour peindre à l'huile.

Si vous ne dites que cela, le vendeur va sortir trois grandes boîtes divisées en compartiments à l'intérieur desquels les pinceaux sont classés par numéros. Les pinceaux sont en soies de porc et dans chaque boîte il y aura un modèle particulier : dans l'une ils seront ronds, dans l'autre plats...

En effet, les pinceaux couramment utilisés pour peindre à l'huile sont les pinceaux dits en soies de porc. Mais l'on utilise aussi, pour certaines surfaces, les pinceaux en poils de martre, en poils de mangouste, en poils de bœuf. Les soies de porc sont plus dures et plus raides. Elles donnent une touche plus expressive dans laquelle il est même possible de voir, presque dans tous les cas, les sillons laissés par la pression des soies. C'est le pinceau indispensable pour les fonds et les grandes surfaces, pour estomper et dégrader, quelles que soient les dimensions de la surface à traiter. Les pinceaux en poils de martre s'adaptent davantage à un style de peinture moins rude, où les couches colorées sont régulières, planes. Mais ils sont indispensables aussi bien pour le dessin que pour la couleur des petites formes, pour les petits détails, pour les traits fins. Dans un portrait à l'huile par exemple, après avoir peint les lèvres avec un pinceau en soies de porc, il faudra recourir au pinceau en poils de martre, pointu et rond, pour peindre le trait correspondant à la commissure et à la ligne qui les sépare ; il sera également indispensable pour représenter d'un trait sombre, dans l'œil, la ligne qui correspond aux cils...

Qu'ils soient en soies de porc ou en poils de martre, les pinceaux pour peindre à l'huile ont trois sortes d'extrémités :

    a) *pinceaux à extrémité ronde,*
    b) *pinceaux à extrémité plate,*
    c) *pinceaux à extrémité dite «langue de chat».*

La figure suivante reproduit, à leur format réel, trois pinceaux de chacune de ces catégories.

Les pinceaux à extrémité ronde s'emploient généralement pour peindre les plis, les draperies. Les pinceaux à extrémité plate sont probablement les plus employés car ils permettent de peindre franchement, à grandes touches, ou de côté, pour obtenir des lignes ou des traits. On peut dire la même chose des pinceaux dits «langues de chat», même si, d'après moi —c'est un point de vue personnel— ces derniers s'accommodent davantage d'un style de peinture plus doux, plus rond, plus cour-

---

Pinceaux en soies de porc pour peindre à l'huile (de gauche à droite : à extrémité ronde, enveloppée de fil pour maintenir réunie la touffe de poils; à extrémité plate ; à extrémité dite «langue de chat»).

be, en conformité avec leur forme caractéristique dite «langue de chat».
Pour les pinceaux en poils de martre, on les achète généralement à
extrémité ronde.

Comme chacun sait, un pinceau est constitué d'un manche, d'une virole et d'une touffe de poils. La virole est la partie métallique qui enserre
la touffe de poils et la fixe au manche. Ce manche, dans les pinceaux
pour peindre à l'huile, est plus long que celui des pinceaux à aquarelle.
Sa longueur va de 20 à 24 cm. Cette plus grande longueur s'explique
ainsi : pour peindre à l'huile, on travaille généralement sur une surface
en position pratiquement verticale, presque toujours à une certaine distance de celle-ci, en essayant de voir non seulement la surface peinte
mais tout l'ensemble. Le manche long et le fait de pouvoir saisir le pinceau plus haut facilite cette position et cette vision plus large. La longueur
totale d'un pinceau pour peindre à l'huile —y compris le manche, la virole
et les soies— est de 26 à 30 cm.

L'épaisseur de la touffe de poils de chaque pinceau est fonction d'un
chiffre imprimé sur le manche. Cette numérotation va du n° 1 au n° 22
et progresse de deux en deux (1, 2, 4, 6, 8, 10, etc...). La figure suivante
reproduit, au format réel un échantillonnage complet de pinceaux à extrémité plate.

Vous n'avez pas besoin de disposer d'un assortiment complet. Deux
ou trois pinceaux de même numéro suffisent. Voici un assortiment courant :

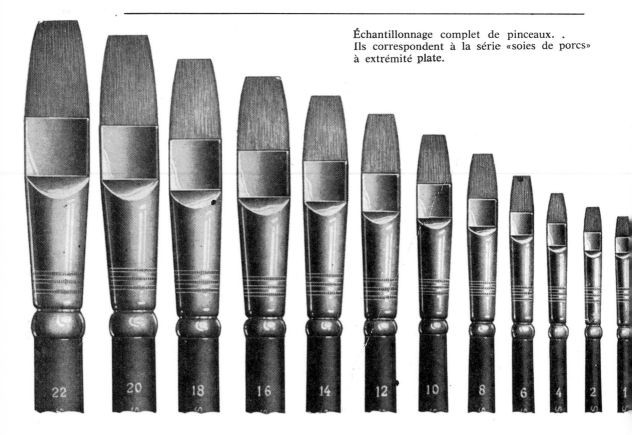

Échantillonnage complet de pinceaux. .
Ils correspondent à la série «soies de porcs»
à extrémité plate.

PINCEAUX D'USAGE COURANT CHEZ LES PROFESSIONNELS

A) ASSORTIMENT RÉDUIT :

Un pinceau rond, soies de porc, N° 4

Un pinceau rond, poils de martre, N° 4

Un pinceau plat, soies de porc, N° 4

Un pinceau plat, soies de porc, N° 6

Un pinceau langue de chat, soies de porc, N.° 8

Un pinceau langue de chat, soies de porc, N.° 12

B) ASSORTIMENT COMPLET :

Deux pinceaux ronds, soies de porc, N° 4

Deux pinceaux ronds, poils de martre, N° 4

Deux pinceaux plats, soies de porc, N° 4

Un pinceau rond, poils de martre, N° 6

Deux pinceaux plats, soies de porc, N° 6

Un pinceau plat, soies de porc, N° 8

Un pinceau langue de chat, soies de porc, N° 8

Deux pinceaux plats, soies de porc, N° 12

Un pinceau plat (ou langue de chat), soies de porc, N° 14

Un pinceau plat, soies de porc, N° 20

L'ENTRETIEN DES PINCEAUX

Les pinceaux, eux aussi, sont chers. Il faut donc tâcher d'en prendre soin et de les entretenir, non seulement à cause de leur prix, mais encore parce qu'un pinceau «fait» et en bon état peint mieux qu'un pinceau neuf.

Ce qui importe avant tout, c'est de les tenir propres après s'en être servi , afin que la touffe de poils demeure compacte. Cela est si important que même lorsque le pinceau arrive de la fabrique, vous pouvez voir que la touffe de poils a été agglutinée au moyen d'une solution de colle ou de gomme arabique. (Toutefois, si cette solution est épaisse, si les poils sont vraiment collés, il vous faudra plonger celui-ci dans l'eau tiède.)

Pour en revenir à la propreté, elle ne pose pas de problème pendant que vous peignez. La peinture est tendre, les pinceaux vont et viennent de la main au tableau. Si vous interrompez la séance, par exemple, du matin à l'après-midi, vous pouvez continuer à peindre sans nettoyer vos pinceaux. Mais, d'un jour à l'autre, et surtout lorsque le tableau est terminé il ne faut pas attendre et il est indispensable de les nettoyer à fond, jusqu'à ce qu'ils retrouvent l'aspect du neuf.

Ce nettoyage peut se faire de deux façons :

NETTOYAGE A L'ESSENCE DE TÉRÉBENTHINE. Séchez d'abord le pinceau avec un chiffon pour en extraire les restes de peinture. Le plonger ensuite dans un récipient contenant de l'essence de térébenthine de qualité courante, et frotter les poils sur les parois latérales du récipient ; le rincer et le sécher avec un chiffon ; le rincer à nouveau... le sécher, etc... Pour faciliter ce nettoyage, il existe sur le marché des récipients spéciaux munis d'un treillis métallique à mi-hauteur de la paroi ; celui-ci est recouvert par l'essence de térébenthine, si bien qu'il est possible de frotter le pinceau contre le treillis métallique tout en le nettoyant ; le dépôt de couleur retombe au fond du récipient.

Le nettoyage des pinceaux à l'essence de térébenthine laisse la touffe de poils plutôt raide (surtout pour les petits pinceaux en soies de porc). Les poils ont tendance à se séparer et rappellent quelque peu le classique et inutilisable pinceau-balai. Pour éviter cette réaction, on peut laver les pinceaux à l'eau et au savon, et une fois lavés, les tremper dans l'essence de térébenthine. Les poils sont alors plus doux et plus compacts.

NETTOYAGE A L'EAU ET AU SAVON. C'est un système très employé par l'artiste qui n'a pas toujours d'essence de térébenthine de qualité courante et en quantité suffisante à portée de la main. (Il ne serait guère économique d'employer de l'essence clarifiée qui sert à diluer les couleurs !)

Le nettoyage à l'eau et au savon est moins énergique, plus doux et tout aussi parfait.

Commencez par nettoyer et extraire les restes de peinture avec un chiffon ; puis éliminez, dans la mesure du possible, toute trace de couleur ; rendez-vous ensuite au lavabo ou à la cuisine et frottez le pinceau directement sur le savon, un peu comme s'il s'agissait de peindre. Mouillez le pinceau sous le robinet et lavez-le alors en le frottant dans le creux de la main.

Point n'est besoin d'une longue pratique pour obtenir une mousse abondante qui se teinte des couleurs du pinceau. Passez-le sous l'eau et revenez au savon pour charger le pinceau ; frottez-le à nouveau dans le creux de la main, passez-le encore sous l'eau, etc... La mousse est de plus en plus propre jusqu'à devenir complètement blanche.

Un dernier rinçage sous le robinet et voilà qui est fait.
Le seul risque que comporte cette méthode pour qui n'en a pas la pratique suffisante est le suivant : en frottant et en lavant la touffe de poils dans le creux de la main, on peut modifier la position normale des poils, c'est-à-dire les aplatir et les séparer jusqu'à changer le pinceau en balai. Pour éviter ce risque, prenez bien soin de frotter

et de laver comme si vous peigniez, c'est-à-dire en faisant pression sur la touffe de poils et en décrivant des cercles, mais en maintenant toujours les poils dans l'axe par rapport à la virole. Dans ces conditions, vous pouvez frotter énergiquement, sans crainte. Essayez : ce n'est pas difficile.

En résumé, une fois le pinceau nettoyé à l'essence de térébenthine ou à l'eau et au savon, il faut le sécher soigneusement, car une humidité constante pourrait faire tomber les poils maintenus par la virole. Laissez alors vos pinceaux dans un vase, soies et viroles à l'air. C'est ainsi que l'on procède dans un atelier.

LES SPATULES OU COUTEAUX

Une spatule est une sorte de couteau à manche de bois et à lame d'acier flexible et non tranchante. Ceci est une définition générale. On trouve des spatules à extrémité ronde, d'autres sont triangulaires et d'autres ont la forme caractéristique des truelles de maçon, seule la lame est plus étroite.

Dans la peinture à l'huile, on utilise la spatule à deux fins principales : pour gratter la peinture encore tendre à même le tableau, pour nettoyer une surface définie, pour rectifier, pour effacer ; pour nettoyer la palette, une fois la séance terminée ; et pour peindre en se servant de la spatule comme d'un pinceau.

Pour gratter à même le tableau ou la palette, il faut utiliser les spatules en forme de couteau (ou couteau à palette) à lame plus fine et plus souple s'il s'agit de rectifier ou d'effacer à même le tableau ; à lame plus dure s'il s'agit de frotter et de nettoyer la palette.

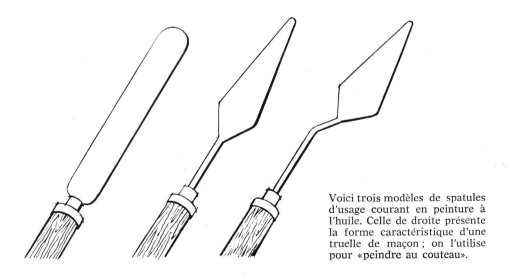

Voici trois modèles de spatules d'usage courant en peinture à l'huile. Celle de droite présente la forme caractéristique d'une truelle de maçon ; on l'utilise pour «peindre au couteau».

Pour peindre à la spatule, il faut une lame souple. On emploie de préférence la spatule en forme de truelle de maçon. La technique de la peinture à la spatule avec des couleurs à l'huile est trop complexe pour être traitée ici. Nous en reparlerons donc plus tard et nous tenterons même de la pratiquer.

SUPPORTS POUR PEINDRE À L'HUILE

Les supports ou surfaces généralement employés pour peindre à l'huile sont : les toiles, les panneaux de bois, le carton et le papier.

Les bonnes toiles pour peindre à l'huile sont des toiles de lin ou de chanvre ; elles ont un degré différent de rugosité, selon le tissage et la grosseur des fils. Il y a des toiles à grain fin, moyen et gros. Les toiles à grain fin conviennent à une exécution plutôt raffinée, tandis que les toiles à gros grain invitent à un style plutôt impressionniste ; les toiles à grain moyen sont les plus employées.

Les toiles, comme les cartons et les panneaux de bois pour peindre à l'huile, sont vendus dans le commerce revêtus d'un enduit qui permet une meilleure adhérence et une meilleure conservation des couleurs. Cet enduit, étalé sur une seule face, généralement blanc, consiste en une couche de colle mélangée à de la détrempe, de la caséine ou du plâtre. Il existe cependant d'autres toiles et supports recouverts d'un enduit ; on mélange un colorant pour obtenir une surface lisse gris neutre, gris bleuté, ou terre de Sienne rougeâtre. Le choix d'un fond coloré est dicté par le goût et les préférences de l'artiste ; nombreux étaient les maîtres anciens qui peignaient déjà sur fond coloré. Rubens par exemple, peignait sur fond gris ; Vélasquez sur fond terre de Sienne, etc...

On peut acheter la toile montée sur châssis ou au mètre. La toile au mètre mesure habituellement entre 0,70 et 0,50 m de large. Elle convient aux peintures murales. On peut la monter sur de vieux châssis. Un châssis est un cadre de bois dans les angles internes duquel se trouvent de petits coins, en bois également, qui permettent lorsqu'on les enfonce avec un marteau, de tendre ou de détendre la toile montée sur le châssis. Le montage de la toile se fait avec de petits clous à grosse tête.

Les châssis montés, ainsi que les cartons et les panneaux de bois, sont classés selon leur taille d'après un numéro qui en détermine les mesures, et d'après une définition thématique qui détermine les proportions du tableau. Cette définition correspond aux trois thèmes suivants : figure, paysage, marine. Les châssis qui correspondent aux figures sont plus carrés que ceux que l'on utilise pour les paysages ; les châssis pour marines sont plus larges que hauts. Cette classification est en quelque sorte dépendante du fait qu'effectivement, lorsqu'on peint une marine, on a besoin d'une surface plus large que haute, ce que n'exigent pas le personnage ou le portrait. Mais dans la pratique, rien n'oblige l'artiste à suivre ces normes au pied de la lettre !

Il existe, à cet égard, une table internationale des mesures adoptées par tous les fabricants de toiles montées sur châssis, de telle façon que l'artiste qui la connaît n'a plus qu'à se rendre au magasin et à demander simplement :

—Je voudrais un châssis Figure (ou Paysage, ou Marine) n° tant...

Voici la table :

DIMENSIONS CORRESPONDANT AU FORMAT STANDARD DES CHÂSSIS POUR PEINTURE À L'HUILE

N.os	Figure	Paysage	Marine
1	16 × 22	14 × 22	22 × 12
2	19 × 24	16 × 24	24 × 14
3	22 × 27	19 × 27	27 × 16
4	24 × 33	22 × 33	33 × 19
5	27 × 35	24 × 35	35 × 22
6	33 × 41	27 × 41	41 × 24
8	38 × 46	33 × 46	46 × 27
10	46 × 55	38 × 55	55 × 33
12	50 × 61	46 × 61	61 × 38
15	54 × 65	50 × 65	65 × 46
20	60 × 73	54 × 73	73 × 50
25	65 × 81	60 × 81	81 × 54
30	73 × 92	65 × 92	92 × 60
40	81 × 100	73 × 100	100 × 65
50	89 × 116	81 × 116	116 × 73
60	97 × 130	89 × 130	130 × 81
80	114 × 146	97 × 146	146 × 90
100	130 × 162	114 × 162	162 × 97
120	130 × 195	114 × 195	195 × 97

PANNEAUX DE BOIS. Le panneau de bois a été le support le plus communément utilisé par les maîtres d'avant la Renaissance. Les panneaux d'alors exigeaient une fabrication et une préparation spéciales mais aujourd'hui, avec les minces plaques de contreplaqué, les artistes disposent de panneaux solides, à la fois légers et rigides. Il convient de citer à cet égard le bois TABLEX recouvert d'un enduit de colle et de plâtre. Il offre une surface lisse et mate qui convient bien aux notations et aux thèmes de taille réduite. On peut le trouver sur le marché dans des tailles qui atteignent les numéros 6 ou 8 de la classification.

Un panneau en contreplaqué de 4 ou 5 mm d'épaisseur, recouvert d'une simple couche de colle de charpentier, très liquide, représente une surface prête à être peinte et que vous pouvez préparer vous-même.

LE CARTON. On l'utilise pour les esquisses, les notes et les tableaux de petite taille. Sur le marché, on trouve des cartons tout préparés recouverts d'un enduit blanc, lisse et mat.

Comme les panneaux, vous pouvez le préparer vous-même en le recouvrant d'une triple couche de colle de charpentier, sur les deux faces pour que l'humidité ne déforme ni ne fasse gondoler le carton.

Sur du carton gris courant, s'il est de bonne qualité, épais et bien pressé, il est possible de peindre sans autre enduit qu'une couche de peinture à l'huile extraite du tube et dissoute dans de l'essence de térébenthine. Ceci vous permettra d'éliminer en partie les effets absorbants du carton. Vous devez attendre que l'enduit soit parfaitement sec avant de commencer à peindre.

LE PAPIER. Au risque de vous surprendre, le papier est aussi un excellent support pour peindre à l'huile. Rubens l'utilisa, ainsi que d'autres maîtres anciens, pour les ébauches et les projets. Les impressionnistes eux aussi l'employèrent, pour des notes qui sont restées par la suite des tableaux définitifs.

Il est indispensable que le papier soit épais et d'excellente qualité (papier Canson par exemple, ou papier d'aquarelle au grain fin). Aucun enduit n'est nécessaire et on peut donc peindre directement. Mais il est fragile, se contracte ou se distend facilement ; il n'est pas conseillé de l'utiliser pour des œuvres définitives et de grande taille. Il est excellent, par contre, pour les études, les notes ou les ébauches.

LA PALETTE

Il existe des palettes rondes et d'autres rectangulaires, en bois, en plastique.

Regardez-les, observez-les. Chaque palette est toujours munie d'un trou de forme elliptique aux bords biseautés par où passer le pouce de la main gauche. Il y a également, près de cet orifice, une sorte d'évide-

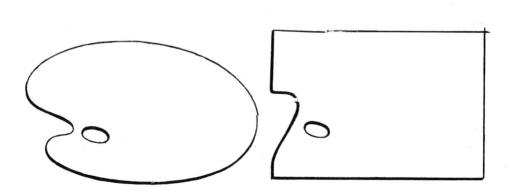

Palettes classiques, ovale et rectangulaire, pour la peinture à l'huile.

ment qui, par sa forme et selon sa distance par rapport à l'orifice, permet de saisir la palette avec l'index et le majeur.

Prenez une palette, assurez-la sur votre main en prenant appui sur l'avant-bras... Et vous vous demandez :

Ronde ou rectangulaire? Eh bien... C'est une question de goût... Pour peindre en plein air, on utilise la palette de la boîte de couleurs, qui est rectangulaire... Celle-ci est peut-être plus dure, moins agréable à l'œil... C'est encore une question de goût...

En bois, ou en plastique? En bois, sans hésitation aucune. Je pense, comme la majorité des peintres, que la palette en plastique ne convient pas à un atelier d'artiste...

Et les dimensions? Tout peintre a deux palettes au moins, voire trois, de tailles différentes : une petite, pour les croquis, les ébauches et les petits tableaux ; une moyenne et une autre plus grande qui convient aux tableaux de grande taille... La taille de la palette dépend donc de la taille du tableau. La palette doit être nettoyée une fois l'œuvre terminée. Si vous entrepreniez un nouveau tableau deux ou trois jours après, vous pourriez profiter des restes de couleurs. Mais il vaut mieux de toute façon nettoyer le tout pour recommencer avec de la matière neuve, toute fraîche sortie du tube.

LES DILUANTS

Les couleurs à l'huile, au sortir du tube, sont presque toujours trop épaisses pour être utilisées immédiatement. Pour les diluer, pour les rendre plus fluides, pour peindre les glacis, l'artiste emploie des liquides appropriés.

L'ESSENCE DE TÉRÉBENTHINE. C'est le meilleur des agents diluants. Comme nous l'avons déjà dit, elle sèche rapidement par évaporation. Mélangée aux couleurs à l'huile, déjà grasses, elle en augmente la siccativité et facilite la superposition des couches, spécialement lorsque l'on peint des esquisses ou des tableaux qui doivent être terminés en une ou deux séances.

L'essence de térébenthine donne aux couleurs une finesse, une matité fort prisées de quelques peintres actuels.

Il faut l'employer en petites quantités autant pour éviter une liquéfaction des couleurs, que pour ne pas faire perdre à celles-ci leur qualité de liant, c'est-à-dire la densité nécessaire pour adhérer au support et s'y fixer.

L'HUILE DE LIN. C'est un diluant d'usage courant, quoique rarement employé seul. Cela se comprend parfaitement : la couleur à l'huile, au sortir du tube, comprend déjà une certaine proportion d'huile de lin. Si on utilise l'huile comme diluant, le mélange obtenu sera encore plus gras et retardera à coup sûr le séchage de la peinture. En principe ce mélange n'offre aucun risque technique. Mais il peut offrir quelque avantage suivant le thème traité ou la façon de travailler : on peut peindre, à chaque séance, sur des couches relativement fraîches.

L'huile de lin employée comme diluant donne au tableau cet éclat, ce brillant qui caractérise la peinture à l'huile. Cet éclat peut cependant paraître irrégulier, car certaines couleurs sèchent plus rapidement que d'autres. Pour remédier à ce défaut, il faut vernir le tableau une fois qu'il est bien sec.

SOLUTION MIXTE (essence de térébenthine et huile de lin). Ce qui vient d'être dit nous laisse entendre que l'un des diluants classiques des couleurs à l'huile consiste en une solution mixte, à base de térébenthine et d'huile de lin. La proportion du mélange est dictée par : a) le thème, selon qu'il exige une exécution rapide ou lente, b) le degré d'absorption du support et c) le but recherché, selon qu'on désire un tableau brillant ou mat.

LES HUILES SICCATIVES. On les utilise également comme diluants afin d'accélérer le séchage de la peinture. On les trouve dans le commerce toutes préparées et conditionnées. Leur emploi n'est à conseiller que dans des cas spéciaux.

Concluons donc qu'en général l'adjonction de diluants doit intervenir en quantités minimes car, dans la majorité des cas, la couleur à l'huile, au sortir du tube, offre une consistance presque idéale pour peindre directement, sans aucune adjonction.

LES GODETS À HUILE

Ce sont de petits récipients qui contiennent les diluants : essence de térébenthine et huile de lin. Le modèle classique comprend deux petits godets métalliques à la base desquels figure une sorte de pince qui permet de les fixer au bord de la palette. En atelier, on se sert couramment de n'importe quel récipient, de hauteur réduite et de petites dimensions : un petit vase au col large par exemple, un godet de faïence ou de porcelaine, de la vaisselle d'enfant, un cendrier...

LES CHIFFONS

Il en faut beaucoup pour peindre à l'huile. Ils servent à essuyer les pinceaux, à les nettoyer surtout au moment de changer de couleur, pour frotter et effacer à même le tableau, pour nettoyer la palette. Tous sont bons pourvus qu'ils soient propres.

LE CHEVALET D'ATELIER

Il est parfaitement possible de peindre à la maison, à l'atelier, en studio avec un chevalet de campagne, c'est-à-dire un chevalet pliant, de ceux que l'on utilise pour peindre en plein air. Mais sur le plan professionnel, l'usage courant est de disposer d'un chevalet d'atelier —d'un au minimum— qui permette de travailler plus commodément et en toute sécurité.

La figure suivante présente trois modèles de chevalets d'atelier : le premier (A) est d'une structure simple mais classique ; il est couramment employé dans les écoles des Beaux-Arts. Vous voyez que le plateau sur lequel reposent les toiles (a) peut s'élever à volonté grâce à la crémaillère placée sur le montant central du chevalet (b). C'est le modèle le plus économique.

Le second (B) est probablement le plus utilisé dans les ateliers professionnels. Sa structure lui donne une grande solidité jointe à une immobilité parfaite ; un jeu de quatre roulettes permet de le déplacer facilement ; le plateau peut être gradué en hauteur ; le montant central porte une pièce (c), réglable elle aussi, qui permet de fixer la partie supérieure de la toile ou du châssis.

Le dernier modèle (C) est déjà un modèle de luxe que caractérisent les détails suivants : double plateau pour tableaux de grande ou de petite taille ; axe central inclinable à volonté pour faciliter le travail lorsqu'il s'agit d'œuvres de grandes dimensions ; panneau inclinable lui aussi, pour les croquis, les miniatures, les esquisses et projets... C'est naturellement le modèle le plus cher...

LE MEUBLE AUXILIAIRE

Nous sommes encore à la maison... Au début de votre carrière d'amateur vous pouvez continuer de ranger vos couleurs en tubes, vos flacons de diluants, les godets, les spatules..., dans l'une de ces boîtes dont on se sert pour peindre en plein air. Mais plus tard —ou maintenant—, si vous voulez monter un atelier selon les règles, il vous faudra penser à un meuble auxiliaire, c'est-à-dire à une petite table (que vous pouvez munir de roulettes pour faciliter son déplacement), au dessus lavable (en formica, par exemple), et nantie d'un nombre suffisant de tiroirs aux dimensions fonctionnelles pour conserver et ranger tubes, pinceaux, flacons, etc... Le plus simple est encore d'expliquer à un menuisier ce que vous désirez ; dessinez-en vous-même le modèle. La hauteur peut varier entre 60 et 70 cm, pas plus.

LES USTENSILES VARIÉS

Il vous faudra, en outre, des fusains, des crayons, un panneau pour peindre sur papier ou sur carton, des punaises, un bidon ou une bouteille pour conserver l'essence de térébenthine...

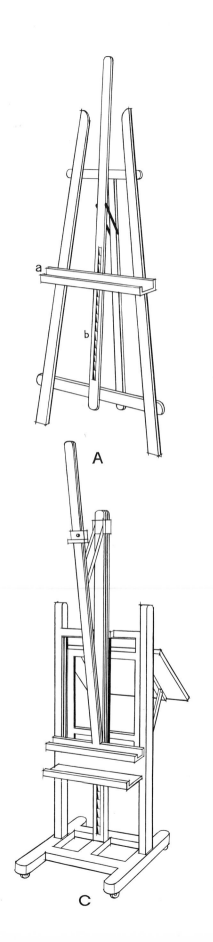

A

B

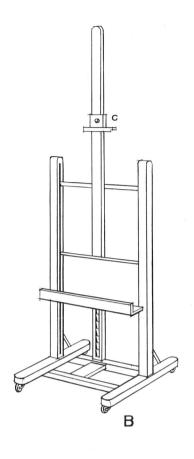

C

Nous présentons ici trois modèles de che-valets d'atelier. Le modèle A, le plus sim-ple, est d'un usage courant dans les écoles des Beaux-Arts. Le modèle B est le plus fréquemment employé dans les ateliers d'artistes professionnels. Le modèle C offre une série d'avantages parmi lesquels celui de pouvoir incliner à volonté le pan-neau placé au dos qui permet de peindre ou de dessiner de petits tableaux, des miniatures, des projets, des esquisses, etc...

L'ÉQUIPEMENT POUR PEINDRE A L'HUILE EN PLEIN AIR

En réalité, cet équipement spécial se limite à la possession d'une boîte pour transporter et protéger les matériaux, d'un chevalet de campagne et d'un tabouret pour peindre assis.

LA BOÎTE POUR LA PEINTURE À L'HUILE

On en trouve sur le marché dans des tailles différentes, mais d'un modèle identique. Elles sont en bois et présentent à l'intérieur des compartiments pour ranger les couleurs en tubes, les pinceaux, les couteaux, les flacons de diluants et les godets à essence, les chiffons, etc... Tous les modèles sont munis d'une palette dont les dimensions s'adaptent aux mesures intérieures de la boîte.

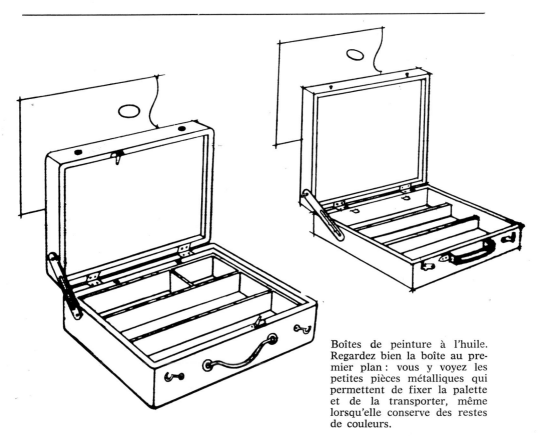

Boîtes de peinture à l'huile. Regardez bien la boîte au premier plan : vous y voyez les petites pièces métalliques qui permettent de fixer la palette et de la transporter, même lorsqu'elle conserve des restes de couleurs.

Pour faciliter le transport de la palette sans la nettoyer, la boîte est munie d'une série de petites pièces métalliques qui fixent la palette tout en la maintenant séparée du couvercle. Elle peut permettre également, grâce à un dispositif semblable, le transport de cartons qui viennent d'être peints et dont les dimensions sont celles de l'intérieur du couvercle

Pour le reste, la qualité et le prix de la boîte dépendent, en plus de ses dimensions, de sa bonne construction et de sa finition. Vous avez pu voir page précédente la représentation des deux modèles les plus courants.

LE CHEVALET DE CAMPAGNE

Il comprend essentiellement un trépied de bois, muni de dispositifs et d'articulations qui permettent de le plier afin de le transporter plus facilement.

Les modèles sont variés ; ils doivent obéir aux normes suivantes : *a*) légèreté ; *b*) solidité ; *c*) hauteur suffisante, une fois planté, pour que l'artiste puisse peindre debout s'il le désire ; *d*) possibilité de varier la hauteur du tableau s'il veut peindre assis, etc ; *e*) possibilité de fixer solidement le tableau dans sa partie supérieure et d'en assurer l'immobilité.

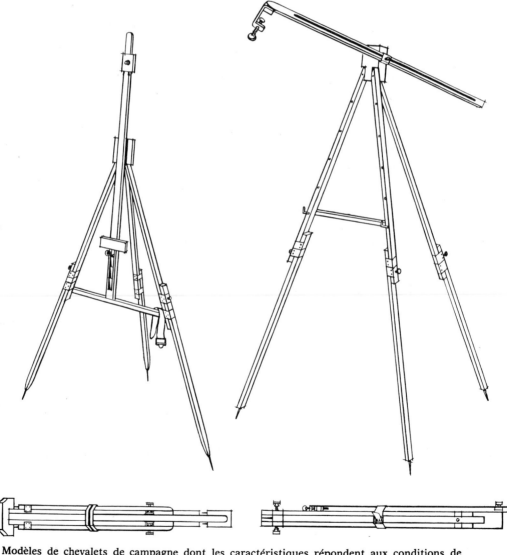

Modèles de chevalets de campagne dont les caractéristiques répondent aux conditions de poids, de solidité et de maniabilité énoncées dans le texte.
La figure ci-dessus nous montre deux modèles qui réunissent ces conditions.

LE CHEVALET ET LA BOÎTE D'UNE SEULE PIÈCE

D'une seule pièce, c'est beaucoup dire ! Le chevalet qui porte la boîte se distingue précisément par la quantité de pièces, articulations et inventions qui permettent de le monter et de le démonter en un instant. C'est un ensemble solide et des plus pratiques.

Observez la figure ci-dessous et en particulier le modèle B : voyez les possibilités qu'il offre une fois monté ! Inclinaison du tableau à volonté ; fixation de celui-ci au moyen d'un plateau et d'un dispositif d'accrochage dans la partie supérieure, ce qui permet de peindre, en les déplaçant tous les deux, de l'esquisse de dimensions réduites au tableau de grande taille ; possibilité de descendre ou de remonter tout l'ensemble en pliant les pieds... Remarquez d'autre part, qu'une fois plié il ne tient pas plus de place qu'une simple boîte. Dommage que son prix soit élevé...

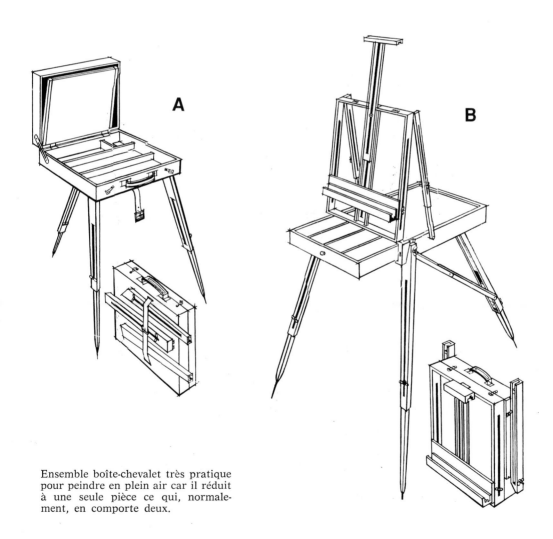

A

B

Ensemble boîte-chevalet très pratique pour peindre en plein air car il réduit à une seule pièce ce qui, normalement, en comporte deux.

LES TABOURETS

Regardez-les. Mais attendez. N'achetez rien encore. Si vous avez la chance de voyager dans votre voiture et si vous ne vous souciez pas de transporter un kilo de plus, et un peu plus de volume, je vous conseille, au lieu d'acquérir l'un de ces tabourets, d'acheter une chaise pliante en tubes métalliques, l'un de ces modèles de camping, solides, légers, et beaucoup plus commodes. Soyez sûr que la chose a de l'importance! Le confort, tant pour le travail intellectuel que pour la peinture, se reflète dans les résultats obtenus.

—Ne manque-t-il pas quelque chose? demandez-vous.

Eh bien... Il me semble que non! Mais... attendez... vous n'avez pas de porte-châssis.

LE PORTE-CHÂSSIS

C'est un appareil des plus simples, mais nécessaire pour porter et transporter le tableau qui vient d'être peint. Il se compose de deux pièces : l'une est munie d'une anse fixée sur un étau métallique qui porte en son centre une réglette de bois. L'étau comprend de chaque côté deux vis qui rendent possible la fixation de deux toiles avec châssis.

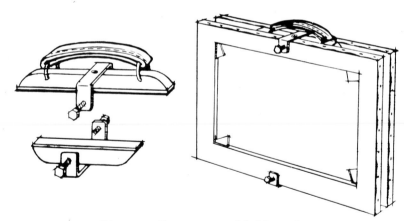

Porte-châssis. Il permet de transporter le tableau qui vient d'être peint tout en le préservant des risques de transport...

L'autre pièce est semblable à la pièce précédente mais sans anse. Elle maintient également séparées les deux toiles. Pour transporter un tableau encore frais, il faut donc un second châssis entoilé de même taille. Voyez la figure ci-jointe.

Et voilà... Vous n'avez besoin de rien d'autre pour peindre à l'huile. De rien d'autre... C'est une façon de parler. Il vous faut encore étudier le comment et le pourquoi de la question. Nous allons en débattre dans les pages suivantes qui sont consacrées à l'étude pratique de la peinture à l'huile.

EXERCICES PRATIQUES DE PEINTURE
A L'HUILE AVEC DEUX COULEURS

TOUT D'ABORD, AVEC DEUX COULEURS SEULEMENT

Notre méthode suivra, sur ce point, la règle traditionnelle de la majorité des écoles des Beaux-Arts. En premier lieu, vous ferez vos exercices et vous peindrez avec une couleur et du blanc; ensuite, avec trois couleurs: les trois couleurs primaires, bleu, rouge, jaune; puis vous emploierez toutes les couleurs.

Notre méthode trouve sa justification: nous partons de zéro, c'est-à-dire nous supposons que vous n'avez jamais pratiqué la peinture à l'huile; vous ne savez rien de tout ce qui a trait à la fluidité, la densité, au pouvoir couvrant et à la siccativité des couleurs; vous ignorez les possibilités qui découlent de cette densité et de ce pouvoir couvrant, grâce auxquels l'artiste peut dissimuler, toucher et retoucher tout en peignant. Nous supposons également que vous ignorez les avantages qu'offre cette densité combinée avec un pinceau bien mené: elle permet de dégrader, modeler, représenter et peindre la forme avec cet esprit de synthèse que nous admirons chez les grands maîtres. Nous pensons que cette partie du métier, d'introduction au métier, n'a pas à être mêlée au problème de la peinture proprement dite, c'est-à-dire au choix et à la composition des couleurs.

D'abord, donc, une seule couleur qui nous permettra de prendre contact avec le métier. Une règle classique, je le répète, mais avec une seule innovation: si l'habitude veut que l'on commence à peindre avec du blanc et du noir seulement, nous allons le faire ici avec du blanc et une terre d'ombre très foncée: la terre d'ombre brûlée, presque aussi intense que le noir, mais plus agréable, plus chaude, voire plus chromatique, et de toute façon, plus belle que le noir, froid et incolore.

En travaillant avec les deux couleurs mentionnées, le premier exercice pratique que nous allons faire consistera à peindre un cube, une sphère et une cruche, sans travailler encore d'après nature; cela nous permettra d'apprendre au passage comment utiliser la palette, tenir les pinceaux et peindre.

Par la suite, pour élargir votre contact avec ce métier, vous peindrez avec trois couleurs: les trois couleurs primaires; vous vous rendrez compte alors qu'avec seulement trois couleurs, il est possible de recomposer toutes les couleurs de la nature.

En dernier lieu, une fois le métier dominé et les couleurs connues,
—mais... attention! En réalité, plus on en sait, plus on comprend que
tout, ou presque, est encore à savoir—, en dernier lieu donc, vous pein-
drez avec toutes les couleurs couramment employées par les profes-
sionnels.

Nous nous exercerons alors sur des thèmes précis.

Voici donc, à grands traits, le plan à suivre. Passons, sans autre
préambule, à la première partie.

INSTRUCTIONS GÉNÉRALES

MATÉRIAUX NÉCESSAIRES POUR RÉALISER CES EXERCICES

Couleurs à l'huile: Blanc de titane
Terre d'ombre brûlée

Pinceaux en soies de porc: Langue de chat Nº 8
Plat Nº 4
Rond Nº 4

Pinceaux en poils de martre: Rond Nº 8 (ou 10)

Palette

Diluants: Essence de térébenthine
Huile de lin

**Godets à essence (ou
récipients de petite taille)**

Support: Papier type Canson épais
ou carton

Chiffons, punaises, crayon

Nous ne mentionnons pas le chevalet, bien sûr! Il est sous-entendu que vous en possédez un. Mais il ne faut pas s'inquiéter de ne pas en avoir pour ces premiers exercices faits chez soi. Il suffit d'utiliser une chaise en guise de chevalet et d'appuyer sur le siège et contre le dossier un carton à dessin et d'y fixer le papier Canson ou le carton, comme vous le montre la figure ci-contre

1. — PRENEZ VOTRE PALETTE, LES PINCEAUX ET UN CHIFFON

Observez bien les figures suivantes et voyez comment on tient la palette, les pinceaux et un chiffon, c'est-à-dire les trois choses à la fois, en laissant libre la main droite qui va peindre. Essayez de le faire tout en observant les images.

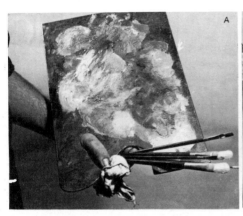

C'est le pouce qui retient principalement la palette, à lui tout seul ou à l'aide des autres doigts, en faisant levier avec eux ; il faut donner à la palette une position légèrement oblique et séparée de l'avant-bras (A), ou bien horizontale, prenant appui sur l'avant-bras qui aide à en supporter le poids (B).

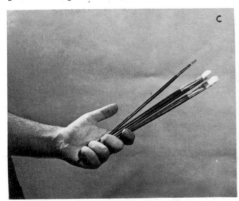

Regardez bien la figure ci-dessus (C), et voyez la manière de tenir les pinceaux en éventail pour que les pointes n'entrent pas en contact les unes avec les autres. Voyez également (D) comment l'artiste tient les trois éléments à la fois : palette, pinceaux, chiffon, et le tout de la main gauche.

La manière illustrée par l'image D est courante lorsque l'on peint en plein air. En atelier, quelques artistes préfèrent laisser la palette sur une chaise ou sur une petite table auxiliaire, placée en face ou à côté du chevalet. Cette préférence a pour origine le poids de la palette ; si elle est plutôt grande, le fait de la soutenir pendant une séance d'une heure et demie, engendre la fatigue. Dans ce cas, la main gauche ne tient que les pinceaux. Le chiffon reste sur la petite table, à côté de la palette.

2. — ORDRE ET PLACE DES COULEURS SUR LA PALETTE

Prenez les tubes de blanc et de terre d'ombre brûlée. Déposez, telle qu'elle sort du tube, une certaine quantité de ces deux couleurs sur la palette; le blanc dans la partie supérieure droite, et, à côté, la terre de Sienne brûlée. En principe, la quantité de blanc doit être le double, approximativement, de la quantité de terre de Sienne.

Disons au passage que si l'artiste emploie toutes les couleurs, il les dépose sur la palette selon un ordre déterminé. Il n'y a pas de règle absolue, mais cet ordre obéit généralement à la règle suivante : les plus claires à droite, en commençant par le blanc, les plus foncées à gauche, au bord de la palette. La partie centrale est réservée aux mélanges. Observez la figure suivante et voyez comment je respecte l'ordre mentionné. De gauche à droite :

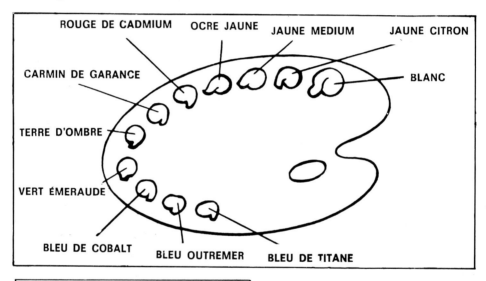

3. — OÙ TENIR SON PINCEAU

Comme vous le savez déjà, le manche des pinceaux pour peindre à l'huile est plus long que celui des pinceaux à aquarelle et autres. Cette plus grande longueur du manche obéit à la nécessité de prendre le pinceau par l'extrémité du manche ou par le tiers supérieur de celui-ci, comme vous le montre la figure suivante. Cette nécessité découle à son tour de la distance à respecter entre le tableau et l'artiste au moment de peindre. Car, lorsque l'artiste peint à l'huile un tableau de dimensions moyennes, voire même un croquis sur châssis n° 1 ou 2, il ne peint jamais collé au tableau, comme pour l'aquarelle ou le dessin à la plume et au fusain. Mettons bien en évidence cette règle importante :

La peinture à l'huile exige une certaine distance entre l'artiste et le tableau. Cette distance peut atteindre un mètre et plus, selon les dimensions du tableau.

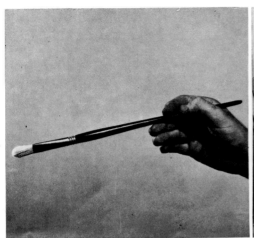

Pour couvrir cette distance, l'artiste tend le bras et prend le pinceau par le tiers supérieur du manche. Pourquoi? Pour maintes raisons: parce que la peinture à l'huile requiert, plus que toute autre technique, une vision continue et globale du tableau; il faut voir et peindre tout à la fois, passer d'une partie à l'autre sans s'arrêter particulièrement sur l'une d'entre elles. Cette plus grande distance donne naissance à une manière de peindre plus libre, plus personnelle, plus impressionniste... Vérifiez par vous-même, par exemple, qu'en saisissant le pinceau par le tiers supérieur du manche, le rayon d'action de la touffe de poils est bien plus vaste que si vous le prenez près de la virole, près de la pointe, comme vous le feriez avec un crayon! Vous comprenez que ce plus grand rayon d'action facilite une touche plus large, plus spontanée, plus impressionniste.

Peut-être penserez-vous que la finesse des détails, dans les tableaux de Van Eyck, ne correspond pas à cette façon de tenir le ponceau. D'accord. C'est un style différent. A cette époque-là, presque tous les tableaux étaient posés sur un pupitre, la toile ou le panneau de bois étant légèrement inclinés; on tenait le pinceau un peu comme on tient un crayon ou une plume. Mais étudiez la facture d'un Rubens ou d'un Vélasquez (lorsque la peinture de chevalet, le tableau étant en position verticale, était déjà couramment pratiquée) et vous y verrez de nombreux fragments qui n'ont rien à envier à l'impressionnisme du siècle dernier; pour parvenir à ce style, vous comprenez bien qu'il fallait peindre à distance, tenir le pinceau par l'extrémité ou le tiers supérieur du manche.

Ceci n'empêche pas qu'à des moments déterminés, la main descende jusqu'à la virole pour tenir le pinceau plus bas, comme c'est le cas pour les personnages ou les portraits, quand il faut peindre à sa place exacte, l'éclat d'un regard, le profil d'un nez, la ligne qui sépare les deux lèvres, etc. Nous reparlerons plus loin de ces touches de pinceau, mais sachez que pour ces touches très précises, l'artiste se sert d'un appuie-main, longue baguette terminée par une boule enveloppée d'un morceau de toile.

4. — COMMENT TENIR SON PINCEAU

Nous venons de voir par où l'on tient son pinceau. Voyons maintenant comment on le tient, en étudiant les deux possibilités qu'offrent les deux façons de le tenir : à la manière courante ou avec le manche à l'intérieur de la main.

MANIÈRE COURANTE

C'est-à-dire comme un crayon ou une plume, mais un peu plus haut et en distinguant, en outre, deux variantes de ce même système : A) à la manière courante ; B) de la même façon en faisant faire à la main un quart de tour.

Essayez ces deux positions :

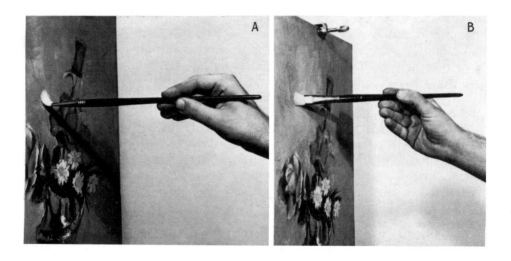

Dans la position A (façon normale de tenir le crayon), vous pouvez peindre dans toutes les directions : vers le haut, vers le bas, à coups de pinceau verticaux ou en diagonale. Vous pouvez également peindre à l'horizontale, en faisant seulement tourner le pinceau sur lui-même, de gauche à droite et vice-versa. Observez en même temps que dans ce système A, la position du pinceau par rapport à la surface du carton ou de la toile est pratiquement perpendiculaire : pinceau et surface forment un angle droit. Ce détail a son importance : il affecte grandement la touche du pinceau.

Ne manquez pas de mettre en pratique ces enseignements. Faites-le avec un pinceau en soies de porc, n° 8 ou 10, en étendant de la pâte et en peignant réellement, sur papier Canson ou sur carton.

En effet, dans la position décrite, le pinceau travaille plus sur la pointe qu'à plat. Si vous voulez peindre un point, un trait fin, un reflet, il vous faut appuyer et plier la touffe de poils, vaincre sa résistance, ce qui rend la touche plus concrète, plus dure, plus précise, et en général, plus énergique.

Observez, en revanche, qu'en adoptant la position B et en retournant légèrement la main, le pinceau est en position oblique par rapport à la surface. La touche est alors plus plane : la touffe de poils offre moins de résistance, ne plie pas comme auparavant, et ne forme pas d'angle droit. Par conséquent, s'il le désire, l'artiste peut peindre avec moins d'énergie, en douceur.

TENUE DU PINCEAU AVEC LE MANCHE À L'INTÉRIEUR DE LA MAIN :

Cette position oblige à prendre le pinceau plus bas, à peu près au centre du manche. Elle donne une manière de peindre plus large, plus libre, ennemie des petits détails.

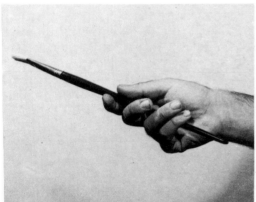

Observez qu'en tenant le pinceau de cette manière, la position de celui-ci par rapport à la toile est franchement oblique, et tend vers la verticale. La pointe du pinceau parvient à peindre tout à fait à plat. Il n'est nul besoin de plier la touffe de poils, comme nous l'avons vu dans les positions précédentes. Nous pourrions dire, au contraire, qu'au lieu de donner des coups de pinceaux, nous posons le pinceau sur la surface et déposons la couleur sur celle-ci.

POURQUOI L'ARTISTE DOIT-IL DOMINER CES TROIS MANIÈRES DE TENIR LE PINCEAU ?

Tout simplement parce que chacune d'elles offre des possibilités distinctes, et selon que vous le tenez d'une manière ou de l'autre, vous obtenez des effets différents.

La formule A, avec le pinceau en position perpendiculaire par rapport à la surface, offre la possibilité de peindre et de mélanger, de travailler sur une surface encore humide ; elle permet d'appliquer la couleur en passant et repassant le pinceau en touche énergique, dégradée, sur une zone sèche ou presque ; c'est cela qui convient le mieux pour dégrader au pinceau, c'est-à-dire en appliquant la pointe sur la toile, en pliant la touffe de poils et en lançant le pinceau «à la volée» ; elle est également propre à l'application de la couleur en «pointillisme» pour estomper ensuite sur la couleur encore humide déposée antérieurement. C'est aussi la formule la plus appropriée pour découper durement un profil, pour peindre à touches énergiques, concrètes et solides.

La formule B fournit en général une touche moins rude. Elle est utile et nécessaire, pour fondre et dégrader sur des zones humides, pour pointiller et mélanger, nuancer une couleur donnée, toucher et retoucher, mais toujours avec moins d'énergie, en respectant les couleurs et les formes déjà peintes.

La formule du manche à l'intérieur de la main offre enfin la possibilité d'appliquer la couleur indépendamment de la partie déjà peinte. Elle suppose que l'on peut peindre un trait blanc sur un fond sombre, encore humide, tout en évitant que sa couleur ne salisse le blanc mentionné. Caresser, déposer, laisser la couleur sur la couleur ; estomper, avec un pinceau propre, une limite trop marquée, un contour trop voyant...

Les trois formules sont d'un usage courant. Il faut les connaître et les dominer toutes les trois, pour parvenir à les mettre en pratique automatiquement, instinctivement, pour répondre à la nécessité du moment et parvenir ainsi à l'idéal du métier : oublier totalement «la manière» et n'être attentif qu'à la matière.

C'est par la pratique qu'un métier solide s'acquiert. Nous allons donc peindre. Vous n'avez, pour le moment, pas besoin d'en savoir plus pour commencer à peindre à l'huile.

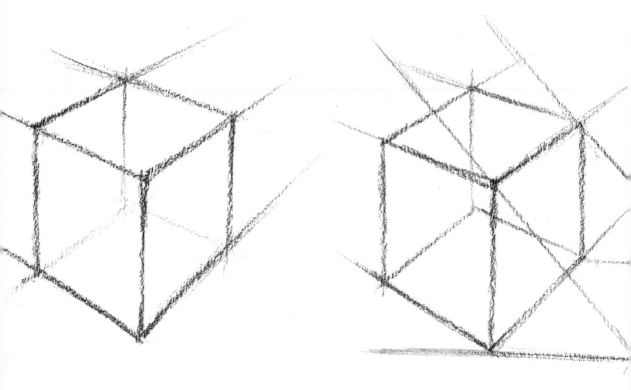

Le premier exercice consistera à peindre à l'huile un cube. Il faut du papier type Canson, une palette, des couleurs, des pinceaux, des chiffons...

5. — PRENEZ UN BON CRAYON ET DESSINEZ, SUR UN PAPIER À PART, UN CUBE EN PERSPECTIVE OBLIQUE

Souvenez-vous, Ingres disait : «On peint comme on dessine». Si vous êtes capable de dessiner parfaitement de mémoire un cube en perspective oblique, vous pouvez vous dispenser de cet exercice préliminaire et commencer à peindre. Mais, ne me présentez pas par la suite un exercice moyen ou mauvais parce que vous aviez oublié la forme d'un cube, l'ombre qu'il projette, sa perspective. Pensez que, tandis que vous peignez ce cube, il vous faut en voir le dessin, la situation; la dimension exacte de chaque arête, la proportion exacte des faces les unes par rapport aux autres, comme si dans votre mémoire existait, projeté comme dans un film, un cube exactement délimité et parfaitement dessiné : une projection qui vous permettrait de peindre en continuant à voir le dessin, un *dessin, que votre mémoire doit avoir retenu et fixé.*

Ce n'est que de cette manière que vous pourrez peindre un cube parfait.

J'insiste. J'insiste beaucoup sur ce point précis : dessinez le cube à part. Ou bien regardez-le et retenez-en le dessin en observant soigneusement le processus suivant.

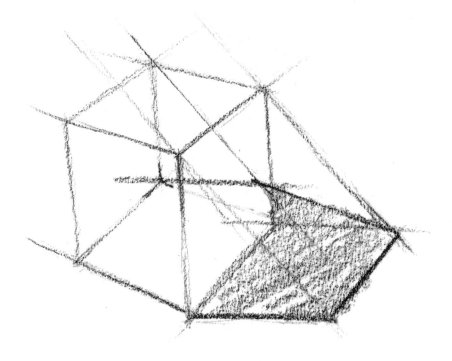

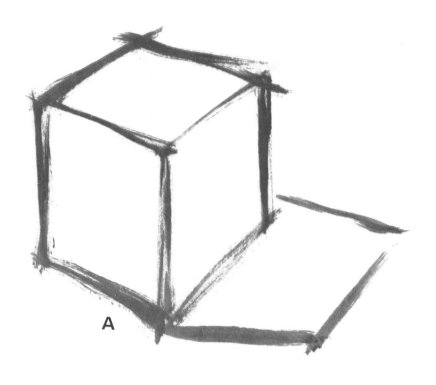

A

6. CONSTRUCTION (A)

Pinceau plat en soies de porc n° 4 — chiffon — couleur: terre d'ombre brûlée, diluée dans de l'essence de térébenthine.

I. — Attention: diluer la couleur avec de l'essence de térébenthine ne veut pas dire composer une solution liquide, mais tout simplement humidifier le pinceau dans le godet qui contient l'essence, le porter à la palette, à la couleur, pour que cette légère humidité donne une couleur fluide, mais non liquide: une couleur qui permette de tracer des traits continus.

II. — Il s'agit, comme nous le montre la figure A, d'ébaucher légèrement la forme du cube, au trait, sans aucune référence préalable, c'est-à-dire en dessinant directement sur papier blanc, au pinceau, avec de la terre d'ombre brûlée.

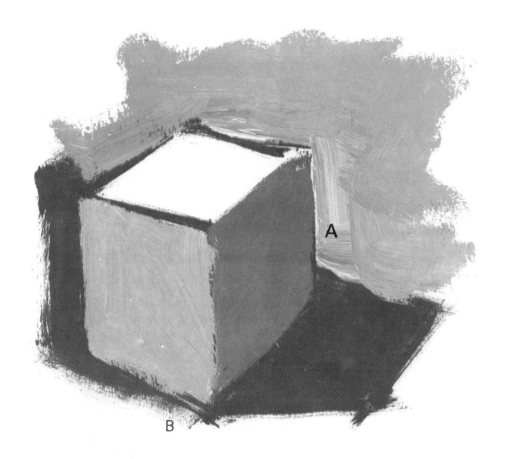

A

B

7. PREMIER STADE (B)

Pinceau plat en soies de porc n° 4 — pinceau rond n° 4 — pinceau langue de chat n° 8 — chiffon — couleur: terre d'ombre brûlée et blanc.

(Observez la figure B tout en lisant ces conseils.)

I. — Avec le même pinceau plat n° 4 et avec la terre d'ombre brûlée, non diluée, peignez la partie sombre qui correspond à l'ombre portée par le cube.

II. — Continuez avec le même pinceau; après avoir éclairci la couleur avec un peu de blanc, peignez la face latérale du cube.

IV. — Prenez maintenant le pinceau n° 8 et peignez avec la terre d'ombre éclaircie la face frontale du cube. Que la peinture soit abondante, la pâte épaisse.

V. — ...Peignez le fond, toujours avec le pinceau n° 8, avec très peu de terre d'ombre et en fonçant quelque peu le ton précédent. Peignez avec énergie ! Éclairez d'un peu de blanc, à même le support, cette zone limitée par l'ombre, derrière le cube, dans l'angle indiqué par la lettre «a».

PEINTURE ÉPAISSE? PEINTURE FLUIDE?

Je choisirai, par principe, la touche épaisse qui laisse bien voir la matière et le coup de pinceau. C'est le style en accord avec la manière de peindre actuelle, moderne.

Naturellement, l'épaisseur de la pâte dépend de l'usage que l'on fait du diluant: huile de lin ou essence de térébenthine.

Quelle quantité d'essence de térébenthine faut-il employer pour diluer les couleurs, pour obtenir une pâte épaisse?

Cela peut varier, bien sûr. Mais, en général, il s'agit d'une quantité insignifiante: ce que peut retenir le pinceau si l'on en plonge la pointe dans le récipient qui contient l'essence. Je me réfère à des cas où la couleur, au sortir du tube est déjà fluide, huileuse, peu épaisse... Voici une règle à suivre:

> **Pour obtenir une facture moderne, pour que la pâte soit épaisse, employez d'infimes quantités de diluant; bannissez-le presque complètement, particulièrement lorsque les couleurs sont déjà naturellement fluides, huileuses.**

PEIGNEZ SANS CRAINTE

N'ayez pas peur d'en faire trop!

Osez peindre avec beaucoup de couleur; que la pâte soit abondante, tout particulièrement pour les zones claires. Travaillez avec prudence, avec attention; calculez et étudiez chaque étape. Mais soyez énergique, ayez du caractère! Au moment même de peindre, faites-le rapidement, avec aisance et liberté. Arrêtez-vous, relaxez-vous, reposez-vous, étudiez... Regardez attentivement ce que vous avez fait et pensez calmement à ce que vous allez faire. Puis laissez-vous emporter à nouveau par cette fièvre de peindre, avec courage.

UN PINCEAU PAR COULEUR?

Oui et non... Si l'on peint avec toutes les couleurs, il est courant de tenir à la fois 4, 6, voire même 8 pinceaux parmi lesquels un ou deux sont destinés aux couleurs sombres, deux ou trois aux rouges et aux Sienne, deux autres aux jaunes, un aux couleurs plus claires ou au blanc.

LE CHIFFON POUR NETTOYER LES PINCEAUX

De toute façon, chaque fois qu'il est nécessaire de composer une nuance nouvelle, il est indispensable de nettoyer auparavant le pinceau avec le chiffon. Ce nettoyage peut même exiger l'immersion du pinceau dans l'essence de térébenthine.

C

8. DEUXIÈME STADE (C)

Pinceau plat en soies de porc n° 4 — pinceau rond n° 4 — langue de chat n° 8 — chiffon — couleurs : terre d'ombre brûlée et blanc.

I. — Continuez le fond, étendez la terre d'ombre brûlée et finissez. Couvrez d'une quantité abondante de pâte.

II. — Maintenant, une fois le fond terminé, vous allez vérifier l'utilité des taches sombres que vous avez peintes au cours de la phase antérieure, pour détacher les parties éclairées du cube. Vous verrez que cette couleur sombre vous «oblige», pour tout dire, à vous souvenir qu'il convient de contraster, d'intensifier ces zones limitrophes, pour accentuer l'éclat de la lumière. Elle vous invite, en outre, à laisser à découvert cette étroite frange sombre qui limite les contours et fait se profiler la forme.

III. — Peignez la face supérieure du cube, la plus claire, en employant le pinceau rond n° 4. C'est un pinceau qui vous permettra de bien «rendre» les angles.

IV. — Achevez votre travail. Commencez par unifier les tons en repeignant si cela est nécessaire. Ne dessinez pas exagérément les contours, ne peignez pas en employant la pointe du pinceau (comme dans la formule A), mais au contraire en l'appuyant sur la surface (formule B). Que le pinceau soit bien chargé de couleur, pour obtenir des traces de frottement, comme vous pouvez le voir à la limite de l'ombre portée. . Intensifiez avec du blanc la clarté du fond au-dessus des parties sombres. Assombrissez l'arête la plus proche de la face latérale en dégradant au fur et à mesure que vous avancez vers le fond. Essayez de conserver ces traits sombres initiaux qui dessinent les contours du cube.

V. — Étudiez la direction du coup de pinceau et remarquez que, sans vous soumettre à un rythme et à une direction mathématiques, celle-ci répond en général à l'idée de saisir, d'expliquer la forme.

9. PEINTURE D'UNE SPHÈRE. CONSTRUCTION (A)

Pinceau en soies de porc plat n° 4; chiffon; terre d'ombre brûlée.

I. — Comme vous l'avez fait pour le cube, dessinez directement, avec le pinceau plat n° 4 et la terre d'ombre brûlée que vous aurez diluée dans une très petite quantité d'essence de térébenthine. Souvenez-vous que si la couleur coule et se répand en formant sur le papier des taches graisseuses, c'est parce que vous avez employé trop d'essence de térébenthine. J'insiste encore : très peu d'essence de térébenthine.

10. PREMIER STADE (B)

Pinceau en soies de porc plat n° 4; pinceau rond n° 4; langue de chat n° 8; chiffon; terre d'ombre brûlée et blanc.

I. — Avec ce même pinceau n° 4 et la terre d'ombre brûlée, peignez l'ombre portée de la sphère et son ombre propre, cette dernière à l'aide du pinceau presque sec, en opérant par frottis pour en ébaucher le modelé, comme vous le montre la figure B.

II. — Attaquez aussitôt le fond avec du blanc mélangé à une petite quantité de terre d'ombre brûlée. Faites-le avec énergie. Employez beaucoup de peinture, que votre pinceau n° 8 soit bien chargé.

11. DEUXIÈME STADE (C)

Mêmes matériaux qu'au stade précédent.

I. — Modelez la sphère avec le pinceau n° 8, d'abord avec une terre d'ombre moyenne, en peignant circulairement la zone de ton moyen qui enveloppe et enferme la partie la plus lumineuse; fondez ensuite ce gris

A

B

C

moyen avec la terre d'ombre plus foncée de l'ombre propre. Peignez en dernier lieu, avec du blanc et le pinceau rond n° 4, la partie éclairée et l'éclat maximal de la sphère.

II. — Vous travaillez donc déjà avec un pinceau pour chaque nuance ; le plat n.° 4 pour les tons foncés, le rond n.° 4 pour la lumière et les tons clairs, le n° 8 pour les tons intermédiaires. En réalité, ce sera ce dernier le n° 8, qui sera le principal, fondant, dégradant, dessinant et modelant à la fois.

III. — Revenez au fond ! Ne restez pas sur le modelé jusqu'à ce que vous l'ayez terminé ! Il n'est rien de pire que de «s'acharner» sur une surface déterminée, sans voir ce qui se passe autour ! Regardez bien la figure C et voyez comme la peinture du fond profile et met en valeur le modelé de la sphère.

IV. — Terminez ! Revenez à la sphère avec des pinceaux propres, tracez ce trait de lumière réfléchie à la limite de l'ombre propre. Appliquez du blanc pur dans la zone d'éclat maximal par légers frottis ; développez ce blanc jusqu'à le fondre avec la terre d'ombre de la zone intermédiaire.

V. — Étudiez la direction des coups de pinceau dans la figure C et voyez qu'ils n'offrent, pour le fond, aucun sens déterminé, tandis que pour la sphère, ils sont circulaires ; ils apparaissent horizontaux sur le sol.

ESQUISSE
PRÉLIMINAIRE

ESQUISSE
FINALE

12. PEINTURE D'UNE CRUCHE. CONSTRUCTION (A)

Pinceau en soies de porc plat nᵒ 4 ; chiffon ; terre d'ombre brûlée.

DESSIN PRÉPARATOIRE SUR PAPIER SÉPARÉ

Je vous demande une fois de plus de dessiner sur papier à part, avec un crayon tendre, la cruche qui va vous servir de modèle

Faites-le pour pouvoir peindre ensuite avec plus d'aisance, tout en ayant présentes à l'esprit la structure linéaire et la forme du modèle. Si vous savez dessiner parfaitement cette cruche, vous pouvez la peindre tout aussi parfaitement.

Votre dessin de la cruche a-t-il cette solidité, cette sûreté de trait, cette spontanéité dans le modelé, cette fermeté dans la construction, cette «simplicité apparente» d'un dessin de professionnel habile? Excusez-moi de me proposer comme modèle, mais... votre dessin est-il aussi bien construit que celui qui est reproduit ci-dessus sous le titre d'«esquisse finale»?

I. — Sans aucun préalable, avec le pinceau plat n° 4, en peignant tantôt de côté et tantôt à plat, et la terre d'ombre brûlée à peine diluée avec de l'essence de térébenthine, esquissez et dessinez la forme de la cruche.

Essayez d'obtenir un dessin correct mais ne vous inquiétcz pas des quelques déformations qui subsistent. Si vous savez dessiner, vous pourrez toujours reconstruire. Cela ne pose pas de problème.

II. — Observez que j'ai également peint en sombre la surface du fond qui borde la partie éclairée de la cruche.

III. — Remarquez aussi qu'avec cette succession de touches en zigzag (a), le pinceau étant peu chargé, on peut aussitôt représenter le modelé, l'ombre propre de la cruche et la lumière réfléchie (b).

IV. — Pour l'ombre portée, on a essayé de reproduire les fondus et dégradés qui lui sont propres.

V. — Notez enfin qu'au cours de cette phase de construction, pour reproduire des tons très clairs, vous pouvez utiliser un pinceau presque sec, sans essence de térébenthine. Vous obtiendrez ces teintes claires par frottis (c).

B

13. DEUXIÈME STADE (B)

Pinceau en soies de porc n° 4; langue de chat n° 8; chiffon; terre d'ombre brûlée et blanc.

I. — Il faut remplir rapidement de couleur tout le modèle pour éliminer l'éclat du blanc et du noir et pour s'approcher des tons que doit offrir le stade final.

II. — Trois tons, au maximum quatre, seront nécessaires pour ce travail de mise en valeur préliminaire : en peignant presque toujours avec le pinceau n° 8 et en réservant le n° 4 pour les zones très sombres, commencez par le gris clair du fond, continuez avec cette couleur également claire pour la cruche (zone éclairée). Travaillez ensuite l'ombre propre, les parties sombres du bord et de l'intérieur de la cruche. Puis le ton foncé de la table... Et ceci, le plus vite possible !

III. — Ne vous préoccupez pas encore de la forme du dessin. Mais ne peignez pas avec trop d'insouciance, au point d'oublier la structure initiale !

14. TROISIÈME STADE (C)

Trois pinceaux: plat n° 4, rond n° 4, langue de chat n° 8; chiffon; terre d'ombre brûlée et blanc.

I. — Et maintenant reposez-vous! L'idéal serait même de reporter cette séance à plus tard, de vous remettre au travail avec une vision plus parfaite de ce qu'il faut faire et comment il faut le faire, et même d'attendre que la peinture sèche un peu; elle offrirait alors ce mordant nécessaire pour repeindre tout en dessinant.

Nous allons supposer qu'il en est ainsi.

II. — D'abord la cruche; vous allez la reconstruire, en peignant et en dessinant tout à la fois les formes et les tons de la partie supérieure: bords du col, partie visible de l'intérieur, coulées de terre cuite et vernie (taches sombres, qui, comme de l'encre, semblent couler depuis le bord), l'anse et son ombre. Étudiez avec soin, à l'aide du modèle C, la sobriété des tons et la simplification des plans. Trois, quatre tons? Il n'y en a pas davantage. Pensez maintenant que l'exagération n'a pas d'importance; il lui arrive même de jouer son rôle dans certains cas, pour profiler et dessiner, par la suite, avec des tons plus clairs, les formes construites à l'aide de tons foncés. Nous en voyons maints exemples si nous examinons la partie supérieure de la cruche:

— Sur le bord supérieur, en peignant l'intérieur de la cruche, j'ai commencé par foncer toute cette frange. J'ai exagéré et j'ai débordé sur une partie du fond... pour profiler ensuite avec le gris presque blanc de l'arrière-plan.

— En employant ce même ton foncé, j'ai peint les coulées sombres de la partie qui demeure dans l'ombre. J'ai encore exagéré sans tenir compte de leurs formes définitives, que j'ai profilées ensuite en peignant par-dessus avec le ton clair de la cruche.

— Même chose pour l'ombre de l'anse. Ne voyez-vous pas que la peinture claire domine la peinture sombre et délimite la forme?

— Observez également cette même prédominance sur le bord supérieur le plus proche. Ce bord est peint sur des tons foncés, à bout de bras, avec le pinceau n° 8, de gauche à droite, terminant sur le côté droit par un «coup de fouet» qui donne ce dégradé dans la touche.

III. — Abandonnez cette partie. N'y peignez pas encore les rehauts qu'il est préférable de laisser pour la fin, lorsque vous êtes sûr de n'avoir plus

C

rien à retoucher. Travaillez maintenant le corps de la cruche : l'ombre propre et la vaste zone éclairée. Attention ! Que le résultat ne soit pas léché ni les dégradés mièvres et timides !

IV. — Et en avant pour le fond ! Laissez-vous aller, amusez-vous, travaillez à pleine pâte, avec le pinceau n° 8, sans crainte ni retenue !

V. — Étudiez enfin, à l'aide du modèle C, la direction des coups de pinceau.

EXERCICE PRATIQUE

Nous continuons, avec le blanc et la terre d'ombre brûlée, à pratiquer tout en apprenant, mais nous allons peindre maintenant d'après nature.

Thème : nature morte.

Il vous faut choisir les objets, décider de la place des uns par rapport aux autres, de l'angle de vision, de l'éclairage et de l'entourage.
Condition essentielle : la simplicité.
Peu d'objets, et disposés de la manière la plus simple possible. Il ne s'agit pas de «peindre un tableau», mais de choisir un motif qui permette de peindre ou d'étudier.

Voyez le thème que j'ai moi-même choisi et peint pour développer cet exercice : un huilier, une tomate, un oignon. Vous pouvez choisir un modèle semblable, ou remplacer l'huilier par une cruche, un mortier, une gargoulette, un pot, etc...; vous pouvez placer devant ces éléments des tomates, des oignons, des poivrons, des fruits... Décidez-en vous-même...

Mais ne vous compliquez pas la vie en choisissant des objets aux formes complexes; ne composez pas votre nature morte avec un trop grand nombre d'éléments.

Choisissez un éclairage simple, classique : frontal-latéral ou bien latéral, avec une seule source de lumière provenant si possible d'une porte ou d'une fenêtre. Disposez les objets comme je les ai disposés moi-même : au premier plan, les légumes ou les fruits; au second plan, l'objet que vous aurez choisi.

Choisissez enfin un support d'assez grandes dimensions pour vous permettre de représenter les objets assez grands. Ne faites pas comme l'amateur type qui rapetisse le modèle en le plaçant au centre du tableau, comme perdu sur un fond trop vaste.

Nous en avons fini avec les instructions générales.

15. PRÉPARATION DU SUPPORT

Vous allez peindre sur du carton épais : carton gris, courant, d'une épaisseur correspondant aux n° 22 ou 24, de dimensions 33 x 24, c'est-à-dire un «4 figure».

On peut peindre directement sur un carton de ce type, sans aucune **préparation préalable** (quoique beaucoup d'artistes le fassent). Il offre un inconvénient —ou un avantage, cela dépend— : la fibre spongieuse dont il est fait absorbe rapidement l'huile et les essences de la peinture à l'huile, et sèche promptement en offrant un aspect des plus mats.

Dans notre cas, et pour pouvoir peindre sur une surface plus normale, nous procéderons à une simple préparation du carton, selon le procédé suivant :

I. — Préparez dans un petit récipient la solution suivante :

> *10 à 12 gouttes d'essence de térébenthine,*
> *3 à 4 gouttes d'huile de lin,*
> *1 dose de blanc,*
> *1/3 de terre d'ombre brûlée.*

La formule n'est pas exacte... Mais il s'agit en réalité d'obtenir une peinture à l'huile terre d'ombre claire, diluée dans de l'essence de térébenthine et un tiers d'huile de lin (très peu par rapport à la quantité d'essence) afin que la peinture ait la consistance d'une bouillie suffisamment épaisse, assez pour couvrir. (Pour en contrôler la consistance, chargez le pinceau, et tenez-le à bout de bras pour voir si la peinture ne coule ni ne goutte.) La couleur d'ombre gris clair doit être presque semblable à celle du fond de la figure ci-dessous. Ajoutez plus de blanc ou plus de terre d'ombre brûlée afin d'obtenir un ton approchant.

A

II. — Peignez la surface du carton avec la solution mentionnée en employant le pinceau nº 8. Appliquez deux couches, sans attendre le séchage de la première pour appliquer la seconde.

III. — Attendez au minimum deux jours. Les deux couches doivent être parfaitement sèches.

Une fois ce laps de temps écoulé, le support offrira un aspect mat. L'apprêt, c'est-à-dire les couches de peinture, réduiront le degré d'absorption du carton, et vous pourrez alors peindre dans les meilleures conditions.

(Vous pouvez, bien sûr, réaliser cet exercice sur du carton ou de la toile déjà préparés, comme on en trouve dans le commerce. Le fait de préparer vous-même le support n'obéit à aucune règle spéciale, si ce n'est celle de vous apprendre à faire ce travail vous-même!)

16. CONSTRUCTION (A)

Pinceau en soies de porc nº 4, chiffon, couleur terre d'ombre brûlée diluée dans très peu d'essence de térébenthine.

SITUATION ET DISTANCE DU MODÈLE PAR RAPPORT A VOUS

Le croquis ci-contre vous donne un schéma de la situation et de la distance entre vous, le modèle, et la source de lumière; qu'il y ait 2 ou 3 mètres au maximum entre vous et le modèle, et que vous formiez un triangle avec la fenêtre ou la source de lumière de sorte que celle-ci éclaire le modèle, le chevalet, et le tableau que vous peignez.

I. — Observez la figure page 61 (modèle A). Comme dans les exercices précédents, commencez à peindre, en dessinant avec le pinceau plat nº 4 et la terre d'ombre brûlée, tout en essayant de construire le modèle en plan linéaire. Faites ce dessin sur le carton préparé, directement, sans aucune esquisse préalable au crayon.

17. PREMIER STADE (B)

Pinceau en soies de porc nº 4, langue de chat nº 8, chiffon, couleur terre d'ombre brûlée et blanc.

I. — Regardez bien la figure ci-contre (modèle B). Le fait de peindre sur un fond d'ombre gris moyen va vous permettre, à l'aide de coups de pinceau rapides, dans les tons clairs, de «remplir» les grands espaces et de commencer à valoriser, à créer des contrastes. Observez cet effet en étudiant la figure B. Il s'agit seulement de profiler les formes et de se rapprocher, du même coup, des tons offerts par le modèle.

II. — Peignez avec une pâte abondante, couvrante, à peine diluée.

18. SECOND STADE (C)

Mêmes matériaux qu'au stade précédent.

I. — Équilibrez les tons. Peignez en essayant d'accorder les couleurs.

II. — Ne vous préoccupez pas encore de la forme exacte des objets, de leur contour et du trait juste. Ceci viendra par la suite. N'étudiez que les tons et la structure générale. Immédiatement après, vous peindrez par-dessus, en vous affirmant, et vous parviendrez à un résultat satisfaisant.

19. TROISIÈME ET DERNIER STADE (D)

Mêmes matériaux, avec en plus un pinceau rond nº 4 et un pinceau en poils de martre nº 8 ou 10.

I. — Nous y arrivons ! Je pense qu'il n'y a plus grand-chose à expliquer, si ce n'est qu'il faut VOIR, c'est-à-dire étudier l'exécution de cette dernière phase pour comprendre ce qu'il faut faire et comment le faire.

Un seul conseil :

II. — Synthétisez. Essayez par tous les moyens de voir et de bien différencier les plans qui construisent les formes. Tâchez de les résoudre à l'aide d'un très petit nombre de coups de pinceaux. Observez, par exemple, ces vinaigriers pour la peinture desquels j'ai tenté de suivre cette règle : simplifier, synthétiser la forme et la couleur de l'objet. Fermez à demi les yeux pour obtenir cette simplification, «bloquez» les lumières et les ombres en les réduisant à des formes planes et dégradez d'une seule touche de pinceau, là où il faut.

III. — Enfin, peignez dans la joie, d'un côté, de l'autre, comme si vous vous promeniez sur le tableau, en travaillant à distance avec énergie, prudence, tout en calculant...

IV. — Rappelez-vous : réservez les rehauts pour la fin.

Il est possible que vous ressentiez le besoin de retoucher quelque chose le lendemain. Faites-le sans crainte. Vous l'avez constaté : la peinture à l'huile a cela de bon qu'il est toujours possible de refaire, de revenir sur ce qui a été fait, et ceci d'autant plus s'il s'agit de séances expérimentales, avec seulement deux couleurs. Si vous peignez avec trois couleurs —les trois couleurs primaires, c'est-à-dire avec toutes les couleurs—, le problème est différent... Mais ceci appartient au chapitre suivant.

COMMENT PEINDRE
AVEC TROIS COULEURS

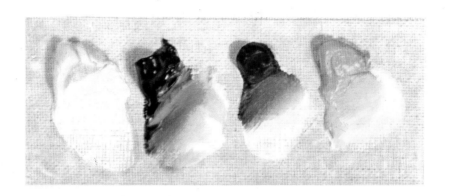

LES VOICI :

De gauche à droite : blanc, bleu, rouge, jaune.
Pour les couleurs à l'huile :

Blanc de titane
Bleu de Prusse
Carmin de garance foncé
Jaune de cadmium moyen

Si vous mélangez chacune de ces trois couleurs à l'huile avec un peu de blanc, vous obtiendrez un bleu, un rouge et un jaune pratiquement identiques à ceux que vous voyez reproduits ci-dessus : un bleu moyen, tirant sur le vert ; un carmin clair pourpre et un jaune moyen, lumineux.

Ce bleu moyen, ce carmin et ce jaune (les trois couleurs de la partie supérieure) sont les trois couleurs primaires, les trois couleurs de base à partir desquelles, si on les mélange par paires, on obtient les couleurs secondaires : vert, rouge et bleu intense ; les couleurs ternaires : vert clair, vert émeraude, bleu outremer, violet, carmin et orange ; les couleurs quaternaires, etc... En un mot, toutes les couleurs de la nature. Y compris le noir (en mélangeant, à parts égales, les trois couleurs primaires).

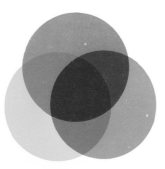

Les trois couleurs primaires, pourpre (ou carmin clair), jaune et bleu, si on les mélange par paires, fournissent les trois couleurs secondaires, rouge, vert et bleu intense. La superposition ou le mélange des trois couleurs primaires nous donne le noir (ci-dessus). Dans le schéma ci-dessous, nous voyons : les trois couleurs primaires, les trois couleurs secondaires mentionnées, ainsi que les six couleurs ternaires (vert clair, vert émeraude, bleu outremer, violet, carmin et orange), résultant à chaque fois du mélange d'une couleur primaire et d'une couleur secondaire.

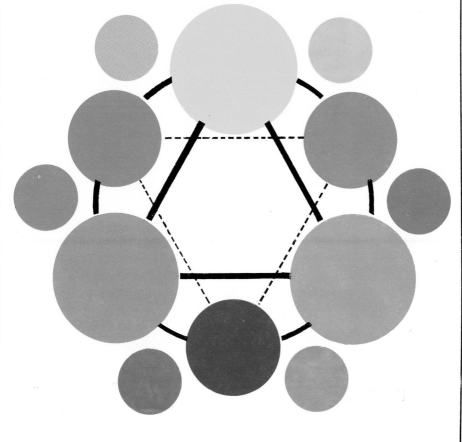

Souvenez-vous :

Rien qu'avec les trois couleurs primaires, bleu, pourpre et jaune, on peut obtenir toutes les couleurs de la nature, y compris le noir (1).

Rubens peignait avec quatre couleurs, cinq au maximum. Titien peignait avec une gamme encore plus restreinte. Selon lui, on pouvait être un grand peintre en employant seulement trois couleurs.

A vrai dire, il n'est guère commode de suivre la règle qui veut que l'on ne peigne qu'avec les trois couleurs primaires. Il est peu pratique de rechercher, par exemple, un ocre, en mélangeant du bleu, du carmin et du jaune, alors qu'il existe déjà de l'ocre en tube, tout prêt à être utilisé et susceptible d'être mélangé directement à du blanc, du bleu, du carmin, pour trouver rapidement et facilement la nuance exacte du modèle.

Mais il est certain que cette recherche, cet effort pour retrouver toutes les couleurs à partir des trois couleurs primaires sont très indiqués d'un point de vue formateur ; ils donnent une connaissance pratique et profonde des mélanges et de l'obtention des tons, nuances et couleurs ; ils font comprendre cette règle de base, cette règle fondamentale pour voir et saisir les couleurs du modèle :

Dans la composition de n'importe quelle couleur il existe toujours une partie de bleu, une partie distincte de pourpre ou de carmin et une autre de jaune.

La couleur de la chair, de la terre, d'un ciel bleu, des feuilles vertes, des fleurs rouges... Aucune de ces couleurs, à première vue si concrètes, ne peut être obtenue sans l'intervention, à un degré différent, des trois couleurs primaires. Regardez votre main, observez-en la couleur, la couleur chair. En principe, elle se compose de rouge et de jaune mélangés à du blanc. Mais... sans le bleu, vous n'obtiendrez qu'un orange clair, un crème clair, qui conviendront à des touches déterminées ou pour peindre quelques points peut-être plus lumineux, mais qui ne correspondront en aucune façon à la couleur générale de la main. Si votre peau est bronzée, il vous faudra plus de bleu ; si elle est blanche, moins, mais il faudra toujours du bleu, du rouge et du jaune. Un ciel exige sa part de carmin et de jaune pour obtenir un bleu plus profond, moins criard, plus vrai. Dans les fleurs rouges il y a du jaune —pour les lumières et les reflets— et du bleu pour l'ombre et la pénombre—.

Nous allons étudier, d'une manière pratique, en peignant à l'huile, les possibilités des trois couleurs primaires et vérifier que dans la majorité des tons et des nuances, pour ne pas dire dans tous interviennent le bleu, le pourpre et le jaune.

---

(1) La théorie de la couleur et les possibilités offertes par les trois couleurs primaires dans la peinture à l'huile sont des thèmes déjà amplement traités dans l'ouvrage "La couleur et le peintre", de cette même collection. Nous recommandons tout spécialement la lecture de ce volume pour une meilleure étude et une meilleure compréhension du présent guide.

UN EXERCICE PRATIQUE FONDAMENTAL

Laissez-moi vous dire, avant de commencer, avant de parler de matériaux et de préparatifs, que cet exercice pratique est à coup sûr l'un des plus importants de tous ceux que vous pourrez réaliser pour apprendre à peindre à l'huile. Tout d'abord parce que vous apprendrez, mieux qu'avec des mots, à composer les couleurs, quelle quantité de bleu, de carmin et de jaune intervient dans chaque cas précis pour obtenir une nuance déterminée, de quelle façon une couleur influe sur une autre, comment l'on obtient des couleurs aussi banales et concrètes que les gris d'une aube, les Sienne et les tons dorés d'un paysage d'automne, les bleus, les gris et les violets d'un fond, d'un intérieur, d'un corps dans la pénombre. En second lieu, parce que ces exercices pratiques, réalisés avec trois couleurs seulement, vous apprendront à utiliser par la suite, à leur juste mesure et en connaissance de cause, les couleurs existantes d'un assortiment plus vaste.

Le présent exercice vous fera comprendre, en outre, la nécessité de travailler avec une palette et des pinceaux propres, pour obtenir des couleurs également propres, c'est-à-dire non influencées par les restes des précédents mélanges ; il vous fera connaître, par la pratique, le degré d'opacité, d'épaisseur et d'intensité des couleurs les unes par rapport aux autres ; il vous apprendra à mélanger les couleurs sur la palette ou à même la surface peinte, à rectifier un ton, à repeindre sur une couleur...

Commençons donc...

COMMENT PEINDRE AVEC SEULEMENT TROIS COULEURS

Il s'agit de peindre un total de 80 couleurs différentes à partir des trois couleurs mentionnées auxquelles nous ajouterons le blanc.

Vous allez voir ces 80 couleurs reproduites, aux pages suivantes ; elles sont numérotées et classées par tons et par gammes. Vous vous souviendrez qu'à l'intérieur des différentes gammes de couleurs avec lesquelles on peut peindre un tableau, il existe deux variantes fondamentales données par les «gammes de couleurs thermiques»; elles correspondent aux couleurs froides, et aux couleurs chaudes. Vous savez aussi que les couleurs froides ont le bleu pour dominante, et les couleurs chaudes le rouge.

Dans l'assortiment des couleurs reproduit aux pages suivantes, il existe une division concrète entre les couleurs froides et les couleurs chaudes. Observez que les couleurs numérotées de 1 à 40 correspondent en général à une dominante des tons chauds : jaunes, rouges, carmins, ocres, Sienne, et même verts et bleus tirant sur le rouge. Au contraire, les couleurs numérotées de 40 à 80 correspondent à la gamme des couleurs froides : verts, bleus, violets, ocres et même Sienne, toutes tirant sur le bleu ou à dominante bleue.

Tenez bien compte de cette classification au moment de peindre, pour orienter le mélange vers le carmin et le jaune, ou vers le bleu, selon que la gamme sera froide ou chaude.

MATÉRIAUX POUR LA RÉALISATION DE CES EXERCICES

Couleurs à l'huile:	Blanc de titane
	Bleu de Prusse
	Carmin de garance foncé
	Jaune de cadmium moyen
Pinceaux en soies de porc:	Langue de chat n° 8
	Plat n° 4
	Rond n° 4
Palette	
Diluants:	Essence de térébenthine
Godets à essence (ou récipients de petite taille)	
Support:	Papier type Canson épais
Chiffons, punaises, crayon	

Peu de pinceaux, comme vous le voyez. Car pour apprendre, il convient d'expérimenter la nécessité de nettoyer le pinceau le plus souvent possible pour les motifs que nous allons dégager bientôt.

1.— PRENEZ LA PALETTE, LES PINCEAUX, UN CHIFFON ; DISTRIBUEZ LES COULEURS, PRÉPAREZ ET DISPOSEZ LE SUPPORT...

Disposez les couleurs sur la palette, de droite à gauche, dans l'ordre suivant: blanc, jaune, carmin, bleu.

Placez le papier Canson sur un carton à dessin ou sur un tableau, en position verticale, appuyé contre une chaise ou sur un chevalet. Tenez le pinceau à la manière habituelle, et commencez...

COULEURS ET ORDRE À SUIVRE

1. Jaune citron ... Avec du blanc et du jaune, tout simplement. Chargez le pinceau n° 8 d'une certaine quantité de blanc, que vous déposez au centre de la palette; étendez-la, sans employer d'essence de térébenthine. Prenez ensuite un peu de jaune; mélangez-le au blanc jusqu'à l'obtention d'une teinte homogène. N'en mettez pas trop! Il est toujours plus facile d'intensifier que d'éclaircir, d'ajouter plus de jaune pour intensifier la couleur (ce que l'on obtient à l'aide d'une très petite

1   2   3   4

5   6   7   8

quantité de jaune) que de faire le contraire. Dans ce cas précis et dans tous les autres, il vous faut obtenir une pâte épaisse, couvrante.

2. Jaune de cadmium moyen ... ... Du jaune, tel qu'il sort du tube. Mais... attendez ! Il faut nettoyer le pinceau et déposer ce jaune au centre de la palette qui ne doit contenir aucune trace de blanc. Du jaune seulement... sinon vous n'obtiendrez pas un jaune de cadmium pur, intense.

3. Orange clair ... ... Du jaune et un peu, très peu, de carmin. Observez, au passage, l'intensité et la puissance du carmin, capable de faire virer le jaune avec une quantité infime de couleur. Rappelez-vous cette faculté de teinture, propre au carmin —et au bleu de Prusse— si on les mélange à des couleurs claires.

4. Orange foncé ... ... Ce même orange précédent avec un peu plus de carmin, sans nécessité de nettoyer le pinceau.

5. Vermillon ... ... Un peu plus de carmin ajouté à l'orange foncé. C'est tout. Mais voyez bien que nous ne pouvons pas obtenir un vermillon lumineux, pur, absolu... ce qui justifie l'emploi des autres couleurs, en plus des trois couleurs primaires.

6. Carmin ... ... Ajoutez du carmin à la couleur précédente.

7. Carmin foncé ... ... Du carmin de garance, tel qu'il sort du tube, sans ajouter de jaune.

8. Carmin très foncé ... ... Du carmin de garance et un tout petit peu de bleu.

9. Chair claire. Du blanc en abondance, un peu de jaune et un peu moins de carmin. C'est la couleur chair type, employée pour les parties très claires, et pour les petites zones très lumineuses. Pour composer cette couleur, puisque nous venons d'employer du carmin très foncé, il est indispensable de procéder à un nettoyage minutieux et énergique du pinceau, avec de l'essence de térébenthine, voire même avec de l'eau et du savon, pour recommencer avec un pinceau absolument propre.

(Voir page 74, la couleur «chair claire».)

PINCEAUX PROPRES, PALETTE PROPRE, COULEURS PROPRES

Ce que nous avons fait jusqu'ici nous amène à préciser quelques aspects véritablement importants pour réussir dans la peinture à l'huile.

Le premier d'entre eux —pinceaux propres, palette propre et couleurs propres— est en relation directe avec ce que j'appelle dans mes livres et leçons «le piège des gris», c'est-à-dire le fait que l'amateur sans grande expérience qui se lance dans la peinture à l'huile, va se retrouver avec des couleurs, des tableaux, une palette devenus gris ; il est tombé (c'est inévitable !) dans le marécage des gris ; il manque de couleurs pures, franches.

Dans un autre de mes livres —«La couleur et le peintre»— j'ai expliqué qu'une grande partie des problèmes qui découlent du piège des gris naît de l'abus du blanc et du noir, en tant que couleurs employées instinctivement pour éclaircir et assombrir. Nous avons déjà dit qu'aussi bien pour éclaircir que pour foncer une couleur —jaune, bleu, rouge— il nous faut tenir compte de ce qui se produit dans le spectre des couleurs, c'est-à-dire dans la succession ordonnée des couleurs que nous offre l'arc-en-ciel (revoyez dans «La couleur et le peintre» ce qui est dit aux pages 52 et suivantes).

Nous pouvons maintenant ajouter que l'ordre et la propreté parfaite, à des moments déterminés, des couleurs, de la palette, et tout particulièrement du pinceau, influent également d'une façon remarquable sur l'obtention de la couleur recherchée. Si l'on ne tient pas compte de ces facteurs, on va droit à des couleurs uniformes, sans contrastes, qui tirent exagérément sur le gris. Supposez, par exemple, qu'il nous faille employer pour un corps ou un visage humain, cette couleur n° 9 (chair claire) spécialement recommandée pour la lumière et les rehauts. Souvenez-vous que le bleu n'intervient pas et n'oubliez pas que pour peindre le visage ou le corps humain, vous avez dû travailler avec des couleurs chair plus foncées (ocres, Sienne, un peu de rouge, Sienne verdâtre, etc...) dans lesquelles existe toujours un mélange de bleu, en plus du jaune et du rouge ou du carmin. Tous vos pinceaux sont imprégnés de ces couleurs chair mélangées à du bleu. Pour obtenir alors la luminosité de la couleur «chair claire», il est indispensable de nettoyer à fond l'un des pinceaux, de prendre du blanc propre, du jaune, du carmin ou du rouge propres, de chercher sur la palette une partie propre; il faut éviter enfin par tous les moyens que les couleurs dont sont chargés les pinceaux (et qui contiennent du bleu), que les mélanges qui existent sur la palette (qui contiennent aussi du bleu),ne salissent l'éclat de ce «chair clair», ou, ce qui revient au même, ne le rendent gris en le privant de son pouvoir contrastant.

Pensez que cette règle s'applique à toutes les couleurs, si l'on veut obtenir les couleurs recherchées, douées de leur personnalité propre, et non influencées par les mélanges antérieurs. Si vous ne la respectez pas, vos couleurs ne vibreront pas, n'auront pas d'éclat, se saliront progressivement pour virer sans rémission vers ces tons blanchâtres, grisâtres, qui caractérisent un mauvais amateur.

AU MOMENT DE COMPOSER ET DE MÉLANGER UNE COULEUR SUR LA PALETTE, INTENSIFIEZ PROGRESSIVEMENT LE TON

C'est un aspect qui mérite lui aussi qu'on s'y arrête, mais brièvement.

Au cours de ces premiers exercices et pour ne pas gâcher inutilement votre peinture, employez peu de couleurs. S'il vous faut composer par exemple une couleur chair rosée, commencez par déposer le blanc et ajoutez avec précaution le carmin et le jaune en montant progressivement, en faisant un essai puis en intensifiant à nouveau, etc.

Pour ce qui est des essais, rappelez-vous qu'une couleur déposée et composée sur la palette, semblable à première vue à la couleur, peut se révéler inexacte une fois sur le tableau. Ce qui influe sur elle, c'est la couleur du fond qui entoure la couleur en question.

Supposons, par exemple, qu'il vous faille peindre une fleur rouge, un œillet , qui dans le tableau est placé sur une nappe blanche, à côté d'une cruche, comme s'il en était tombé. Nous pouvons déjà être sûrs que ce rouge ne sera pas celui qui sortira du tube; il va vous falloir un peu de jaune, de blanc, de carmin, pour obtenir la couleur du modèle. Pensez alors que vous composez cette couleur sur le fond de la palette: un fond Sienne, couleur d'acajou sale, généralement foncé; il est donc parfaitement possible que vous parveniez à un rouge beaucoup plus foncé que celui que vous recherchez (c'est la loi des contrastes successifs). Le cas est très courant et il est indispensable de faire l'essai d'une touche à même le tableau, pour vérifier l'obligation de varier plus ou moins la couleur sur la palette.

Nous continuons l'assortiment des couleurs de la gamme chaude.

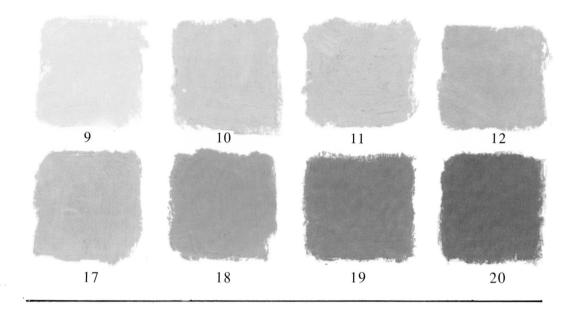

10. Couleur chair lumineuse. ... ... Légèrement plus foncée que la précédente (n° 9), elle provient du blanc avec un peu de jaune et de carmin, sans intervention du bleu.

11. Chair rosée ... ... Comme la précédente mais avec plus de carmin que de jaune, mais toujours sans bleu. Pour les carnations, les joues, les oreilles, les mains, etc.

12. Ocre clair ... ... Un ocre tirant sur le «chair», fait de blanc, de carmin et de jaune en très petite quantité et un tout petit peu de bleu.

13. Ocre rouge ... ... Il entre également dans la gamme des couleurs «chair». C'est exactement la couleur précédente avec un petit peu plus de carmin.

14. Sienne claire. ... ... Du blanc, du jaune, du carmin et du bleu, dans cet ordre, avec plus de carmin et de bleu que pour la couleur précédente.

15. Rouge anglais ... ... Comme la précédente, mais avec davantage de carmin et moins de blanc. Avant de composer cette couleur, nettoyez votre pinceau pour que la clarté et la nuance grisâtre de la précédente n'interviennent pas.

16. Terre d'ombre naturelle C'est la couleur précédente avec un peu de bleu et de jaune.

17. Ocre jaune clair ... ... Nettoyez à fond le pinceau. Commencez par composer un jaune citron clair, en mélangeant du

13   14   15   16

21   22   23   24

blanc et du jaune. Vous allez obtenir un vert clair en ajoutant un petit peu de bleu. Terminez avec un petit peu de carmin.

18. Ocre jaune ... ... Comme la précédente, en augmentant proportionnellement les doses de jaune, de carmin et de bleu.

19. Ocre foncé ... ... Voyez ce qui est dit aux n° 17 et 18. Ajoutez à la précédente (n° 18) plus de jaune, plus de bleu et plus de carmin. N'ajoutez de blanc ni à celle-ci, ni à l'ocre jaune précédent. Pensez que le blanc rend gris. Il faut augmenter la proportion de jaune.

20. Sienne brûlée ... ... Ajoutez un peu de carmin à la couleur précédente et vous y êtes !

21. Chair tirant sur le gris Du blanc et un tout petit peu de carmin, pour obtenir un rose clair. Puis très peu de jaune et de bleu. C'est une couleur souvent employée pour les carnations. Naturellement, avant de la composer, nettoyez à fond le pinceau et faites le mélange sur une zone propre de la palette.

22. Rose tirant sur le gris La même couleur que précédemment, avec un petit peu plus de carmin.

23. Violet clair ... ... Ajoutez plus de carmin à la couleur précédente.

24. Violet moyen ... ... Encore un peu plus de carmin, à partir de la couleur précédente, sans augmenter le blanc.

25   26   27   28

33   34   35   36

25. Vert clair ... ... D'abord du blanc, puis du jaune, pour obtenir un jaune citron clair. Puis un peu de bleu et un tout petit peu de carmin.

Nettoyez à fond pinceau et palette.

26. Kaki clair ... ... Ajoutez du jaune à la couleur précédente et vous aurez un ton plus chaud.

27. Vert bronze clair ... ... Comme la précédente mais avec plus de jaune, de bleu et de carmin.

28. Vert bronze moyen ... C'est une sorte de kaki verdâtre, ou un vert chaud auquel participe le rouge. Vous l'obtiendrez en augmentant la proportion de jaune, de bleu et de carmin de la couleur précédente (n'ajoutez pas de blanc).

29. Bleu violet clair ... ... C'est un bleu qui contient du carmin, un bleu chaud. Il est à base de blanc et d'un peu de bleu. Il ne faut ajouter qu'une infime quantité de carmin. Il ne doit pas y avoir de jaune. Procédez à un nettoyage préalable du pinceau.

30, 31 et 32. Bleus tirant sur le rouge ... Ce sont des bleus de la même gamme que le bleu précédent, mais progressivement plus intenses. Il s'agit d'ajouter chaque fois plus de bleu et de rouge, en excluant le jaune.

29	30	31	32
37	38	39	40

---

33 à 39. Gamme des gris chauds... ... ...
C'est-à-dire des gris tirant sur le rouge, et plus encore que sur le rouge, sur l'ocre Sienne. Pour les obtenir, il n'est pas indispensable de nettoyer la palette et le pinceau. Vous pouvez même chercher ces gris à partir des couleurs restantes en pensant que tous ces mélanges vous donneront probablement du gris. Il est possible que vous obteniez, au départ, un gris bleuté, neutre, tirant sur le carmin...
Nettoyez alors le pinceau avec un chiffon, déposez du blanc et recherchez un gris plus clair en le mélangeant à un peu des restes de la palette et en ajoutant du jaune, du carmin et du bleu.
Pour obtenir les gris mentionnés, il s'agit seulement d'augmenter proportionnellement la quantité de chacune des couleurs.
Supprimez progressivement le blanc à mesure que les gris deviennent plus foncés (n° 39 par exemple).

40. Noir chaud ... ...
Nettoyez énergiquement votre pinceau, faites le mélange sur une zone propre de la palette. Pour composer celui-ci et tout autre noir, il ne faut pas la moindre trace de blanc.

Mélangez d'abord une certaine quantité de bleu avec un peu moins de carmin et moins encore de jaune. Vous obtiendrez alors un noir neutre auquel il n'y aura plus qu'à ajouter la quantité de jaune et de carmin que vous jugerez nécessaire pour que votre couleur atteigne une teinte légèrement rougeâtre, plus chaude.

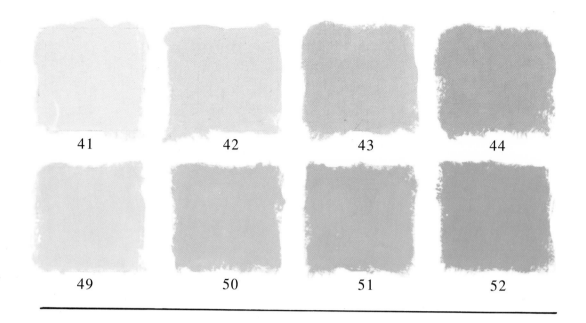

41   42   43   44

49   50   51   52

GAMME DES COULEURS FROIDES, OBTENUE À PARTIR DES TROIS COULEURS PRIMAIRES ET DU BLANC

---

41 à 44. Jaunes et couleurs chair; tendance froide Déposez avec le pinceau une certaine quantité de blanc à laquelle vous ajouterez un peu de jaune, très peu de bleu et de carmin. La quantité de jaune doit être faible pour éviter que la couleur n'entre dans la gamme chaude. On peut dire la même chose du carmin. Vous obtiendrez alors ces couleurs chair à tendance froide, très souvent employées en peinture pour les visages et les corps à tendance bleutée.

45 et 46. Ocres à tendance froide ... ... Même formule que pour les couleurs précédentes en réduisant la quantité de blanc et en augmentant proportionnellement les quantités de jaune, de bleu et de carmin.

47. Gris chaud ... ... Sans nettoyer le pinceau, ajoutez à la couleur précédente un peu plus de bleu (de jaune et de carmin également).

48. Gris neutre foncé ... C'est un gris neutre légèrement froid, obtenu à partir de la couleur n° 47 avec un tout petit peu plus de bleu.

49. Vert clair ... ... Beaucoup de blanc, du bleu et du jaune.

50. Vert clair bleuté ... ... Le même que précédemment, mais avec plus de bleu. L'abondance de blanc donne une teinte pastel.

| 45 | 46 | 47 | 48 |

| 53 | 54 | 55 | 56 |

RAPPELEZ-VOUS: «PINCEAUX, PALETTE ET COULEURS PROPRES»

Comparez-la avec la suivante. On y a réduit la quantité de blanc et augmenté le jaune. Le vert est plus franc et plus intense.

51. Vert neutre clair ... ... Nettoyez le pinceau pour éliminer, en partie, les restes de blanc de la couleur précédente. Mélangez alors du bleu et du jaune que vous éclaircirez avec du blanc et du jaune. Mais plutôt avec du jaune qu'avec du blanc.

52. Vert neutre moyen ... Comme la précédente en augmentant proportionnellement les quantités de blanc, de jaune et de bleu.

53. Vert intense ... ... Plus de jaune que dans la précédente.

54. Vert intense foncé ... Intensifiez la précédente avec du bleu et un peu de jaune.

55. Vert émeraude ... ... Nettoyez le pinceau pour éliminer les restes de blanc et mélangez un peu de jaune à une quantité suffisante de bleu. Beaucoup plus de bleu que de jaune.

56. Noir verdâtre ... ... Pinceau propre. Bleu en abondance, un peu de jaune, et un tout petit peu de carmin.

57	58	59	60
65	66	67	68
73	74	75	76

57. Bleu de Prusse très clair.. ... ... Beaucoup de blanc et un tout petit peu de bleu. C'est tout. Le pinceau doit être nettoyé à fond à l'essence de térébenthine, à l'eau et au savon. Il faut travailler avec un blanc et un bleu propres, sur une partie propre de la palette.

58. Bleu clair ... ... Comme le précédent : avec un petit peu plus de bleu.

59. Bleu ciel ... ... Comme le précédent, avec encore plus de bleu.

60. Bleu de cobalt clair ... Du blanc, du bleu et un petit peu de carmin.

61. Bleu de cobalt moyen Du blanc, du bleu, du jaune et du carmin, ces deux dernières en petites quantités.

62. Bleu de Prusse moyen Nettoyez le pinceau. Mélangez du blanc et du bleu de Prusse, sans rien d'autre.

63. Bleu grisâtre ... ... Ce même Prusse avec un peu de carmin et un petit peu de jaune.

64. Noir grisâtre ... ... Il provient du bleu de Prusse tel qu'il sort du tube. Il faut y ajouter un peu de carmin, mais très peu. Comme chaque fois qu'il s'agit d'obtenir un noir, le pinceau doit être absolument propre.

61 62 63 64

69 70 71 72

77 78 79 80

---

65. Rose clair ... ... Nettoyez le pinceau à fond. Déposez du blanc pur et ajoutez un tout petit peu de carmin.

66. Rose carmin ... ... Comme le précédent avec un peu plus de carmin.

67 et 68. Violets ... ... Du blanc, du carmin et un petit peu de bleu.

69 à 72. Bleus violets ... Nettoyez le pinceau et composez ces bleus à tendance violette, simplement avec du blanc, du bleu et un tout petit peu de carmin en augmentant progressivement la dose des deux premières couleurs pour intensifier la nuance.

73 à 79. Gris froids ... ... Vous savez composer un gris en mélangeant tout d'abord les restes sur la palette et en y ajoutant du blanc ou les couleurs nécessaires pour obtenir, dans le sens recherché, toute une gamme de gris bleutés... Ou bien en mélangeant les trois couleurs, ce qui est relativement facile (trop facile, malheureusement!)

80. Noir à tendance bleue C'est le même, pratiquement que le n° 64. Nettoyez d'abord le pinceau.

Il s'agit maintenant d'appliquer les enseignements de l'exercice précédent à un thème déterminé, de mettre en pratique les connaissances que vous venez d'acquérir sur les mélanges, l'épaisseur de la pâte, la propreté.

Je me permets de vous proposer de peindre tout d'abord un seul objet, de forme simple; quelque chose qui ne pose ni problème de dessin ni problème de construction; il s'agit uniquement et exclusivement d'expérimenter les facteurs «couleur» et «technique de la peinture à l'huile». Commencez par un fruit, une pomme, une pêche, une poire, un fruit de forme sphérique, qui ne pose pas de problèmes, et aux couleurs les plus variées qu'il vous soit possible de trouver.

PREMIER STADE AVANCÉ (A)

Couleurs primaires et blanc, pinceaux propres, palette propre, essence de térébenthine, chiffons, papier type Canson.

Stade réellement avancé, comme vous le montre la figure A. Pour y parvenir, j'ai travaillé de cette façon:

I. — Avec le pinceau plat n° 4, j'ai composé un gris très foncé tirant sur le rouge, que j'ai dilué dans de l'essence de térébenthine; j'ai tracé rapidement les contours de la pomme, l'ombre de celle-ci projetée sur la table; j'ai indiqué au passage, d'un trait horizontal, la limite qui sépare la table du fond. Avec cette même couleur, un peu plus foncée, j'ai peint autour de la pomme des taches contrastantes, comme celles que vous avez réalisées en peignant le cube (à la terre d'ombre brûlée).

II. — J'ai très rapidement peint les deux couleurs du fond: ce kaki foncé du mur et le Sienne également foncé de la table (voir les couleurs n° 28 et 39).

III. — J'ai nettoyé à fond les pinceaux et j'ai attaqué la pomme avec un jaune brillant légèrement teinté de vert (blanc, jaune et un petit peu de bleu, très peu, afin que le jaune domine), en «envahissant» les zones d'ombre, sans atteindre la limite droite du fruit et pénétrant aussi dans la zone rougeâtre, où apparaît la couleur orange.

IV. — Un gris bleuté pour la partie sombre (pinceau propre) à mélanger au jaune précédent encore tendre et à un carmin rouge qui naît dans la partie inférieure gauche et qui rejoint le jaune pour donner un rouge orangé. Ce même pinceau travaillant à la base de la pomme et

A

mélangeant l'orange et le gris bleuté m'a donné ce gris orangé qui achève le modelé du fruit. Une touche finale de gris bleuté, dans la partie supérieure, donne sa forme au creux qui correspond au calice. J'ai nettoyé mes pinceaux avec le chiffon et voilà le résultat...

SECOND ET DERNIER STADE (B)

Mêmes matériaux (Voyez la figure B)

I. — Commencez par les couleurs de la table et du fond en essayant d'accorder les nuances avec davantage de peinture. Rien n'empêche que vous ne reveniez par la suite à ces zones pour retoucher les tons et les couleurs.

B

II. — Mais...attendez! Un fond n'est pas qu'une tache de couleur uniforme. Celui du modèle présente de légères variations de nuances. Il s'agit pour nous de «copier» ces légères variations, de les mettre en évidence pour que le résultat soit plus riche. Dans la partie gauche du fond couleur kaki, par exemple, vous pouvez ajouter un petit peu de jaune; dans la partie droite, un petit peu de bleu. Sur la table, la partie la plus éloignée demande plus de bleu que la partie la plus proche; au premier plan à droite, la couleur s'éclaire; sur ce même côté droit, derrière la pomme, la clarté se fait encore plus visible et rehausse le contour et le volume du fruit.

III. — Pensez aussi à la nécessité de faire fusionner les deux couleurs du fond et de la table là où elles se rejoignent, pour éviter une coupure nette. Faites déborder chacune des couleurs dans les deux zones opposées (comme c'est le cas, par exemple, derrière et au-dessus de la pomme : une touche de fond vert kaki pénètre dans la zone d'ombre foncée de la table).

IV. — Revenez à la pomme. Commencez par le jaune lumineux à tendance citron, en peignant non seulement la partie proprement jaune du fruit, mais encore les zones orangées, verdâtres et grisâtres de la partie sombre. Employez plus de pâte là où il n'y a que du jaune et soyez moins généreux pour les zones rouge orangé, vert bleu, etc.

V. — Nettoyez à fond les pinceaux (conservez un n° 4 pour le jaune) et composez un rouge intense avec du carmin et du jaune —sans blanc—. Commencez alors à peindre les zones rouges, de bas en haut, par touches verticales pour modeler la forme (consultez le modèle).

VI. — Lorsque vous atteignez les parties peintes en jaune, une fois que vous avez obtenu, presque à votre insu, la couleur orangée, peignez de haut en bas, pour limiter ces taches concrètes, de couleur orange (celles qui sont proches du rehaut).

VII. — En mélangeant du bleu à cet orangé vous obtiendrez ces tons d'ombre carminée qui modèlent la pomme à la base (dans la zone d'ombre).

VIII. — Un vert un peu sale, légèrement teinté de carmin, vous servira à peindre l'ombre. La peinture étant encore fraîche, il est alors possible d'éclaircir cette couleur pour peindre la lumière présente à l'intérieur de l'ombre.

IX. — Essayez de composer un noir tirant sur le carmin pour peindre cette ombre mince, à la base de la pomme, et faire virer ce noir au bleu au fur et à mesure que vous vous éloignez du fruit, sur l'ombre portée.

X. — Pour fondre les couleurs les unes avec les autres, pensez à nettoyer à fond le pinceau n° 3 et à opérer par frottis sur les zones récemment peintes.

XI. — Essayez, par tous les moyens, de «synthétiser», de «dire» avec le minimum de touches, en calculant leur longueur, leur forme, leur but, pour obtenir une peinture achevée, spontanée, facile, non tourmentée, comme disent les professionels, c'est-à-dire sans cette série de touches et de retouches qui conduit à un résultat final indécis, sale, insipide.

XII. — Laissez le rehaut pour la fin. Nettoyez à fond le pinceau pour obtenir ce blanc légèrement teinté de jaune qui convient. Appliquez-le simplement en «posant» la peinture, sans frotter.

XIII. — Vous avez terminé. Peindre un fruit comme celui-ci ne peut exiger de vous beaucoup de temps, une heure au maximum, pendant laquelle vous peignez sans interruption, en essayant d'appliquer directement les tons et couleurs, de peindre sans rien avoir à rectifier par la suite, dans le cadre d'un certain style ou d'une technique dite «technique directe», dont nous reparlerons dans ces mêmes pages.

Pour achever cette première étape, je vous invite maintenant à peindre à l'huile une nature morte d'après nature, en employant seulement les trois couleurs primaires : bleu de Prusse, carmin de garance et jaune de cadmium, sans oublier le blanc. C'est une sorte de défi que vous vous lancez à vous-même, en constatant jusqu'à quel point vous êtes capable de voir et de composer la couleur, de dessiner et de peindre en même temps, et d'appliquer les enseignements contenus dans les exercices précédents.

Le seul conseil que je vous donnerai, au sujet du thème, sera de le choisir simple, composé de peu d'éléments, qui devront offrir eux-mêmes des formes également simples. L'important n'est pas de peindre un tableau mais d'apprendre à voir et à interpréter la couleur en partant des trois couleurs de base.

Prêchant par l'exemple, j'ai moi-même commencé par peindre un thème semblable au thème proposé, sans autre souci que de faire l'expérience des trois couleurs primaires ; je l'ai composé le plus simplement possible : sur un fond sombre, une bouteille, une cafetière, une tasse et une soucoupe de porcelaine.

Il est bien évident que vous pouvez composer différemment votre nature morte ! Ustensile de cuisine, aliments, fruits... *avec plus ou moins de diversité dans la couleur, selon votre goût.*

EXEMPLE GRAPHIQUE D'UNE NATURE MORTE AVEC TROIS COULEURS ET DU BLANC

Je me permets de vous présenter, pages suivantes, un exemple graphique de chaque phase d'une nature morte que j'ai peinte moi-même pour illustrer cet exercice.

Il a été réalisé sur papier type Canson, de dimensions légèrement plus grandes que la reproduction, au moyen des pinceaux habituels en soies de porc, auxquels il a fallu ajouter un pinceau n° 2.

Voici, en quelques lignes, un résumé du processus suivi :

LA CONSTRUCTION, ou dessin initial, a été exécutée au moyen d'un pinceau plat n° 4, et de restes de couleurs, dilués dans de l'essence de térébenthine. Cette rapide ébauche a permis de situer les éléments et de n'en donner que la forme essentielle.

LE PREMIER STADE (A) a été achevé en moins d'un quart d'heure. Le but fixé était de remplir rapidement les espaces vides tout en essayant de capter la couleur générale et la tonalité du thème.

LE SECOND STADE (B) nous présente une étude plus attentive de la couleur, plus spécialement de celle du fond et de la bouteille. La conscience d'une harmonisation basée sur les bleus et les verts, une idée très nette de la composition (la bouteille est laissée dans l'ombre et rehausse les valeurs tonales de la cafetière et de la tasse avec la soucoupe) existent déjà.

LE TROISIÈME ET DERNIER STADE (C) reflète simplement le travail de construction qui donne une forme définitive aux objets en partant de l'harmonisation et de la tonalité mentionnées plus haut. Arrêtons-nous sur les détails suivants :

I. — L'imprécision générale des limites et contours dans les zones éloignées du centre et dans l'ombre : voyez la forme de la bouteille dont la partie centrale se confond pratiquement avec le fond et la silhouette sombre de la cafetière qui reste très diffuse ; par contre cette sensation diffuse, atmosphérique, ne se retrouve pas dans la partie d'ombre de la tasse, et ceci afin de bien situer cette dernière au premier plan.

II. — La couleur des rehauts de la bouteille a l'apparence du blanc, mais correspond en réalité à un gris moyen à tendance bleu verdâtre. La forme et la couleur du bouchon de la bouteille sont des plus imprécises. Ceci afin de ne pas concentrer toute l'attention sur celle-ci aux dépens de la cafetière, de la soucoupe et de la tasse.

III. — Cafetière, tasse et soucoupe étaient en porcelaine blanche Une fois posées sur la table, j'en pouvais voir les parties éclairées, d'un blanc éblouissant, vif, brillant. Mais non ! Je ne suis pas tombé dans le piège qui consiste à peindre ces zones lumineuses avec du blanc pur. Ce n'était pas possible, car quel blanc aurais-je employé par la suite pour les rehauts proprement dits, pour ces petits éclats de lumière au bord de la tasse, de la soucoupe, du couvercle de la cafetière?

V. — Observez que les ombres contiennent du bleu, mais un bleu changeant, avec des reflets et des mélanges de jaune, de vert, de rouge...

A

B

EST-IL POSSIBLE DE FAIRE UN PORTRAIT AVEC TROIS COULEURS?

«Oui bien sûr, les élèves n'ont pas besoin que
je leur donne d'autres exemples de peinture
avec trois couleurs seulement, mais...»

Sur la palette, il restait encore suffisamment de bleu, de carmin et de jaune. J'y ajoutai un peu de blanc.

Je m'emparai du miroir de l'atelier et le plaçai devant moi. Je pris une feuille de papier pour aquarelle —épais, à gros grain— et sans même dessiner, avec une couleur chair foncée, je commençai à peindre un visage, mon propre visage reflété dans le miroir.

Vous pouvez observer que ce portrait ne souffre nullement d'une indigence de coloris. Les tons y sont nombreux et nuancés; pourtant il n'a été réalisé qu'avec trois couleurs.

Étudiez les couleurs de cette rapide étude, en tentant de les retrouver dans l'assortiment des 80 couleurs que vous avez composé précédemment. Vous rendez-vous compte qu'elles sont presque toutes là? Dans quelques cas, la nuance n'est pas identique, mais vous comprenez bien que j'aurais pu l'obtenir en ajoutant ou en supprimant un peu de blanc, de carmin ou de jaune.

Rien ne s'oppose à ce que vous fassiez aussi cet exercice, même si vous manquez d'expérience. Celle-ci s'acquiert avec la pratique, en peignant. Il nous reste encore à appendre certaines choses au sujet de la technique telles que construire au fusain ou avec une couleur de base, avant de commencer à peindre; ou peindre avec les doigts, à des moments déterminés pour bien fondre et harmoniser les couleurs, etc. Mais que ceci ne soit pas un obstacle! Lancez-vous sur le meilleur des chemins:
...celui de la pratique.

COMMENT PEINDRE A L'HUILE

Les recherches et les essais ont pris fin. La véritable exécution d'un tableau à l'huile, sans restriction aucune, commence maintenant.

Cet exercice sera un exercice complet, un tableau définitif, une toile, avec toutes les couleurs habituellement employées par les professionnels. Il vous permettra de compléter vos connaissances et l'enseignement théorique que vous avez reçu et d'épuiser toutes les possibilités d'expression, de technique, de métier. Une peinture à l'huile, au vrai sens du mot, dont la réalisation poussée jusqu'à ses ultimes conséquences répondra à ce titre : «Comment peindre à l'huile».

LE THÈME: CHOIX, COMPOSITION

La création artistique ne naît pas par génération spontanée. Penser, comme le suppose le profane, que l'artiste est un être privilégié, que l'inspiration le visite sans qu'il fasse aucun effort ou presque est non seulement faux, mais encore naïf. Bien sûr que non! L'inspiration ne tombe pas sur lui comme la manne du ciel. Il faut aller à sa rencontre, chercher, ébaucher, travailler... C'est un processus intellectuel dans lequel entrent l'esprit d'observation, l'imagination, la connaissance, l'expérience.

Le thème commence à naître, généralement suggéré par quelque chose que nous avons vu : ensemble de formes et de couleurs, effet particulier de lumière, d'ombre, de contraste, de couleur. Cette vision première peut surgir, bien sûr, à l'improviste : au coin d'une rue, au détour d'un sentier, au seuil d'une pièce, dans le regard d'un enfant. Mais le désir conscient d'observer, de voir, de trouver, doit aller de pair avec elle.

La condition première pour trouver et choisir un thème, pour se sentir inspiré, consiste donc à cultiver notre sens de l'observation, à voir, à regarder, à contempler le monde qui nous entoure. Aujourd'hui ou demain, quand vous sortirez, «cessez de regarder de l'intérieur», oubliez-vous vous-même, oubliez vos problèmes, vos préoccupations, regardez les gens, les portes et les fenêtres des maisons, la perspective des rues et des champs, les effets d'ombre et de lumière par un jour ensoleillé ou nuageux.

Le thème, enfin, cesse d'être à l'état de fantasme pour devenir un effet préalable de l'imagination de l'artiste. Des personnages, par exemple, ou bien une nature morte intitulée «Gibier», une composition morale sur «Le Travail», sont des sujets dont la composition, la couleur, les contrastes, le style peuvent être imaginés, voire même ébauchés sans modèle. Mais de toute façon, dans le processus de création d'un thème imaginé par avance, comme ceux que je viens de mentionner, l'artiste s'aidera de souvenirs visuels, d'images, de formes et de couleurs déjà vues, de cet esprit d'observation qui apporte et assemble des idées nouvelles.

Le thème, enfin, cesse d'être à l'état de nébuleuse pour devenir une réalité lorsque l'artiste met en jeu sa connaissance et son expérience artistique. Pour revenir au thème «Gibier», la connaissance et l'expérience artistique permettent à l'artiste d'imaginer les éléments qui interviendront dans le tableau, l'éclairage, la couleur dominante, la composition qui prévaudra dans l'œuvre.

Naturellement, ces qualités —esprit d'observation, imagination et expérience artistique— ne peuvent s'acquérir du jour au lendemain ; elles sont le fruit de longues années de travail, d'échecs, de succès. Que peut faire, alors, l'amateur sans grande expérience pour choisir et composer un thème approprié? Tout simplement observer comment ont œuvré, à cet égard, les grands maîtres, regarder et étudier, à partir de tableaux exposés dans les musées ou reproduits dans les livres d'art, et assimiler, adapter, voire copier, sans se sentir pour cela mauvaise conscience, car cela se fait depuis toujours. Les grands maîtres ont agi de même... alors qu'ils étaient encore élèves. L'originalité, le pouvoir créateur viendront après, à leur rythme, lorsque, en partant d'une première copie, de cette adaptation d'idées, de tons, de composition vous sentirez vous-même la nécessité de changer, de trouver, de mettre en place une ou plusieurs variantes qui peu à peu, tableau après tableau, vous amèneront à vous trouver vous-même, à être vous-même, avec votre propre manière de travailler et de peindre.

LEÇON PRATIQUE SUR LE CHOIX ET LA COMPOSITION
D'UN THÈME POUR UN TABLEAU

Je vais peindre un tableau et vous serez témoin du processus que je vais suivre. Commençons par étudier la composition. Il s'agit d'une nature morte. Non que je sois partisan de ne peindre que des natures mortes: j'aime plus que tout les paysages; mais comprenez que la nature morte est le thème d'étude par excellence: elle permet de créer en partant de zéro, **de choisir, de composer,** de disposer avec une plus grande liberté **et offre surtout la possibilité** d'étudier tranquillement, sans interventions, **calmement, la couleur, la technique, la facture.**

Voyez-vous ce bouquet de roses? Je l'ai acheté ce matin en pensant à ce tableau. **Et... regardez ce masque du grand musicien Beethoven...** Je vais m'en **servir aussi.**

Il y a longtemps que je voulais exécuter ce thème: un verre d'eau avec une rose, **une partition** musicale, le masque de Beethoven. Un «Hommage à Beethoven»...

Voyez vous-même. Hier soir, j'ai tenté de donner forme à ce projet. Je n'ai rien fait d'autre que deux esquisses à la mine de plomb. Dans la première, j'ai essayé de me rappeler l'image entrevue ce jour-là au-dessus du piano, de l'endroit où je me tenais, dans un demi-contre-jour,

et de lui donner forme... Mais... sans résultat. Bien que j'aie toujours imaginé ainsi le tableau, hier, quand j'ai voulu le traduire par une image concrète, je me suis rendu compte que l'angle de vision et l'éclairage étaient mauvais.

J'ai imaginé alors un angle de vision frontal, avec une lumière frontale et latérale et j'ai fait une autre esquisse. Elle est meilleure, n'est-ce pas? Je crois que l'angle de vision est correct : là le masque de Beethoven est au niveau de mes yeux, et je vois la rose un peu d'en haut. La direction de la lumière, en revanche... Hier, en achevant cette esquisse, j'ai pensé pouvoir l'améliorer à l'aide d'un éclairage tout à fait latéral qui place le visage de Beethoven moitié dans la lumière, moitié dans l'ombre.

Nous allons maintenant passer à la pratique.

Je dispose contre le mur cette table plutôt basse —car je pense peindre assis—; au-dessus, j'accroche le masque de Beethoven; en dessous, sur la table, je mets un verre d'eau avec une rose; et derrière le verre, la partition musicale de «La Lettre à Elise», roulée. Laissez-moi chercher pour la rose une position meilleure... Voilà... Nous y sommes. Approchez-vous, je vous en prie. Asseyez-vous. Vous êtes presque à ma place, à environ deux mètres cinquante du modèle. Retenez bien ceci :

Distance par rapport au modèle:
deux mètres cinquante, environ.

Mais cette distance ne peut être prise comme règle générale. Vous allez voir.

DISTANCE PAR RAPPORT AU MODÈLE

Il n'y a aucune distance imposée. Celle-ci dépend des dimensions du modèle. Plus elles sont réduites, plus vous vous placez près. Plus elles sont grandes, plus vous vous éloignez. Il s'agit, dans toute la mesure du possible, d'embrasser le modèle tout entier, d'un seul regard. Si dans ce même thème apparaissaient le piano et quelqu'un en train de jouer, il faudrait que je me situe à une distance beaucoup plus grande, 4 à 5 mètres au moins. Si bien que nous pouvons énoncer la règle suivante :

En général, la distance entre l'artiste et le modèle dépend de la taille de ce dernier et de l'obligation, dans toute la mesure du possible, de voir tout l'ensemble. Par conséquent, un grand modèle exige une plus grande distance qu'un modèle de taille réduite.

PREMIER ESSAI DE COMPOSITION (A)

(Veuillez suivre les études photographiques A, B, C, etc., page 103). Ce n'est pas si mal, n'est-ce-pas? Bien sûr, ce qui saute aussitôt aux yeux, c'est que le masque de Beethoven a l'air plus petit ici que sur l'esquisse d'hier. A la vérité, je l'imaginais plus grand, en rapport avec la taille de la rose. Mais ceci peut s'arranger par la suite; en peignant, on peut réduire ou agrandir... Mais continuons à disposer et à composer les éléments du tableau.

La lumière? Elle va très bien au masque, à la rose... Vous voyez que j'avais raison de partir du visage de Beethoven. Il est plus expressif et en même temps sa forme est simplifiée et attire moins l'attention en demeurant au second plan; c'est ainsi que la rose se détache au premier plan. Voilà qui nous amène à rappeler l'une des règles de base de l'art de la composition:

Chaque tableau doit offrir un centre d'intérêt maximal duquel dépendent les autres éléments de l'œuvre.

Il faut se demander en effet: «Qu'allons-nous peindre ici? Lequel de ces éléments —la tête ou la rose— exprime le mieux, en la synthétisant, l'idée de la toile? Je me décide pour la rose. La rose sera donc le centre d'intérêt maximal. Le masque de Beethoven sera présent aussi, mais au second plan, peu précis, peu constrasté.

Mais je ne crois pas que ce premier essai soit encore parfait. Il présente trop de variété et nuit à l'unité. Comme vous le savez, la première, et la plus importante règle de l'art de composer nous demande de trouver et de représenter:

la variété dans l'unité.

Cette règle n'est pas suivie dans ce premier essai. Regardez bien (figure A): la tête est trop loin de la rose et du verre et oblige à un fond trop varié qui minimise et disperse les éléments. Beethoven demeure seul, éloigné et crée son propre centre d'intérêt, monopolisant l'attention qui doit reposer sur la rose.

VOICI L'EXEMPLE D'UNE ERREUR TRÈS COURANTE CHEZ L'AMATEUR SANS EXPÉRIENCE

En tant que professeur j'ai corrigé des centaines de dessins et d'exercices de peinture dont le principal défaut était de minimiser, d'isoler, de rapetisser les divers éléments du modèle. Tableaux où les corps apparaissaient dispersés, sans aucun lien, offrant chacun un centre d'intérêt précis qui retient l'attention et détruit totalement l'unité de composition de l'œuvre. Je vous en prie: ne tombez pas dans le piège de cette erreur propre aux débutants! Rappelez-vous la nécessité de grouper et d'encadrer le thème afin que les objets occupent une grande partie du fond et n'y soient pas noyés. Rappelez-vous également la possibilité de superposer les formes en les plaçant les unes devant les autres pour créer une série de plans successifs dont bénéficiera l'unité de l'ensemble.

DEUXIÈME ESSAI DE COMPOSITION (B)

La chose est claire, il faut descendre le masque pour le rapprocher de la rose.

Voilà qui est fait (B). Résultat parfait. Commençons à peindre. Mais attendez. Épuisons toutes les possibilités. Garder la solution première, même si elle est parfaite, n'est pas le propre d'un bon professionnel. Ne pourrions-nous pas enrichir le thème en lui ajoutant d'autres éléments?

TROISIÈME ESSAI (C)

Des livres, par exemple. Livres, musique, Beethoven... Les trois sont liés. Regardons la figure C.

Non... Voyez ce qui se passe : la forme et le ton des livres placés à gauche portent préjudice à la rose, aux feuilles de la rose, au dessin et aux arabesques qu'elles forment ou plutôt formaient lorsqu'elles se détachaient sur un mur lisse.

Essayons de l'autre côté.

QUATRIÈME ESSAI (D)

Oui, c'est mieux. Surtout parce que l'ombre que les livres projettent sur le mur donne un fond sombre sur lequel la rose se détache beaucoup mieux. Mais...

Ces livres! La forme de ces livres... Cette verticalité et cette couleur plus claire du premier, le plus gros... Non, non. Le seul résultat auquel nous parvenons est d'attirer une fois de plus l'attention sur d'autres formes aux dépens du centre d'intérêt.

Mais pourquoi n'essayons-nous pas d'augmenter l'impact du centre d'intérêt, en lui donnant plus d'importance et en remplaçant le verre par un vase d'ornement en ajoutant une autre fleur?

CINQUIÈME ESSAI (E)

Changement radical. Nous sommes sur la bonne voie. En effet le bouton et la rose dominant maintenant la situation, leur rôle est plus grand. Le vase —un petit vase de cuivre— donne une note colorée très agréable et attire l'attention par le ton, la forme et la couleur. Il aide à mettre en relief la fleur, au premier plan.

Il m'a fallu remonter le masque pour essayer une composition en forme de «L», le modèle étant marginé, de haut en bas, sur le côté gauche (partie verticale du «L»), la partition et la table constituant la base (partie horizontale du «L»).

Ce schéma en «L» n'est pas heureux. La partie gauche est trop chargée.

SIXIÈME ESSAI (F)

J'ai repoussé la table vers la gauche pour centrer la rose. C'est elle, au bout du compte, la «vedette» du tableau! Je crois fermement que sa place définitive est au centre de celui-ci. J'ai déplacé également la partition et —remarquez ce détail— j'ai placé le livre le plus gros et le plus clair derrière la tige du bouton pour rendre ce dernier plus visible, ainsi que les feuilles. Les formes sombres des feuilles et de la tige se détachent sur le fond clair du livre (comparez ce détail au détail corespondant de l'essai E).

SEPTIÈME ESSAI (G)

Il est encore possible d'améliorer la solution précédente en descendant le masque, en réduisant l'encadrement, en agrandissant les objets à l'intérieur du tableau pour obtenir une plus grande unité.

HUITIÈME ESSAI (H)

Pardonnez ce retour en arrière, mais je suis parvenu à une nouvelle conclusion. Il m'a suffi de retirer, l'espace d'un instant, les livres du fond pour voir et comprendre qu'ils constituaient un obstacle. Nous y sommes: sans eux, les feuilles et la tige du bouton acquièrent plus de relief, sont davantage au premier plan, si bien que...

NEUVIÈME ESSAI (I)

Revenons au début. L'idée a mûri. Voyons: les fleurs au centre du tableau, le masque derrière... Non... Ces feuilles qui «chatouillent le nez de Beethoven»... Il faut supprimer cet effet!

DIXIÈME ESSAI (J)

Je remonte le masque et place le bouquet plus à gauche... Ce n'est pas encore ça... Le thème se disperse, le vide de la partie droite n'a pas de sens, en outre les feuilles gênent toujours, mais en frôlant cette fois-ci le menton.

Savez-vous que je ne voudrais pas perdre cet effet de contraste entre le bouton et le fond? Le bouton étant situé précisément devant l'ombre portée du masque, sa forme se détache et acquiert un relief que lui confèrent ses contours éclairés sur un fond qui demeure dans la pénombre, et vice versa.

Je vois cependant une amélioration: la position et la situation des feuilles dont les arabesques me paraissent définitives.

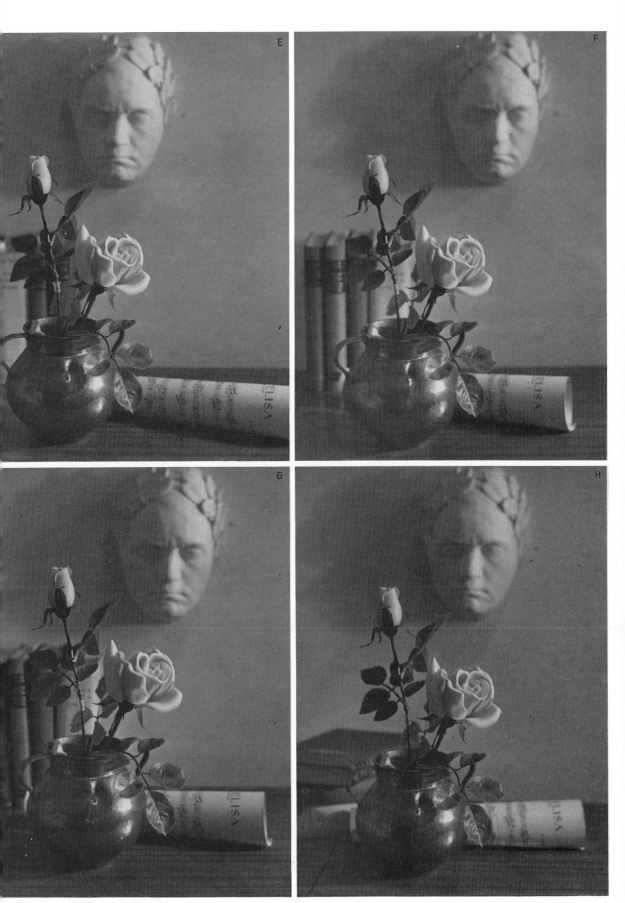

Onzième essai (k)

Je redescends le masque derrière la rose et place la partition plus à droite pour justifier le vide de cette zone et...

Composition définitive (l)

Enfin! Voici, à mon idée, la disposition la plus achevée, la meilleure composition.

Comme vous l'avez vu, la composition d'un thème ne peut être résolue en un instant. Il faut l'étudier à fond et en épuiser toutes les possibilités pour atteindre les dernières conséquences, faire, défaire, refaire... C'est là la morale de cet enseignement dont j'espère que vous tiendrez compte dans vos futurs essais.

ÉTUDE D'INTERPRÉTATION

Voilà l'artiste assis (ou debout) devant son modèle, toile et chevalet devant lui. A côté, à portée de la main, en attente, la palette, les pinceaux et les couleurs.

Il prend un fusain, lève le bras, regarde le modèle... on dirait qu'il va dessiner... — corps droit, regard fixe, absorbé, expression comme paralysée. Mais non... Sans écarter son regard du modèle, il baisse le bras, lâche le fusain d'un geste mécanique, se repose, paraît s'enfoncer dans sa chaise, et tout en continuant à regarder le modèle, allume une cigarette. Cinq, dix minutes passent. L'artiste a toujours le regard fixé sur le modèle et l'observe attentivement, évaluant les formes, comparant les contours, les couleurs, les volumes.

Puis il commence tranquillement à dessiner, d'un trait sûr.

C'est ainsi que cela se passe, plus ou moins. Juste avant de commencer à peindre, l'artiste agit comme je viens de le montrer : il s'arrête pour contempler son modèle, le regarder d'un œil critique, et en étudier la meilleure interprétation. Il décide, sur le terrain, de ce qu'il va faire et comment il va le faire. Il vous faudra agir de même quand vous peindrez : arrêtez-vous au bon moment pour contempler, calculer, décider...

Maintenant, c'est moi qui vais peindre, moi qui contemple et calcule mentalement. Je m'exprime à voix haute : «Ce vase, il est grand. Trop grand pour bien peu de fleurs... Je le peindrai plus petit... La tête, la rose... Tête... Rose... Oui... La tête est petite... Je la ferai un peu plus grande. Mais pourquoi ne pas la faire plus courte? Bien sûr! Je descendrai aussi le bouton en raccourcissant la tige jusqu'au niveau du menton. La couleur? A dominante jaune crème, avec des Sienne, des rouges, des rosés... Quoique... Je ne sais pas... Je vais faire un essai (je saisis le fusain, je fais face à la toile...). Ici au centre, la rose; la tête à partir d'ici...» (Je commence à tracer.)

Première phase: Le dessin
ou la construction de l'œuvre

Allons-nous dessiner ou peindre?

On a longtemps et beaucoup discuté sur la manière de commencer une œuvre. Les uns soutiennent qu'il vaut mieux dessiner et construire d'abord le modèle (au fusain, ou au pinceau avec une peinture liquide, ou à la sanguine, etc.); d'autres affirment qu'il est préférable de peindre directement sur la toile blanche, sans dessin préalable.

Pour répondre à cette question, le professeur et critique d'art Waetzoldt affirme avec raison dans son ouvrage «L'art et toi» que «le classicisme avait poussé les artistes à voir dans la couleur une sorte de couverture des choses, lesquelles pouvaient être conçues sans couleur. Des générations entières de peintres s'y sont de telle façon accoutumées, qu'au lieu de construire en partant de la couleur, ils coloraient un dessin et avec cette couleur le changeaient en peinture. Un peintre né —affirme pour conclure Waetzoldt— ne voit pas d'abord la forme et après la couleur, mais des couleurs avec une forme et des formes colorées, le tout en un. Il ne fait pas de coloriages, comme l'enfant; il peint.»

Le chroniqueur de la Renaissance, Vasari, raconte à propos de Titien qu'il «employait directement les couleurs sans faire de dessin préparatoire». Titien lui-même disait que c'était là «le moyen d'oeuvrer le meilleur et le plus vrai, et le vrai dessin» (pour faire comprendre qu'il peignait tout en dessinant).

A la même époque, cependant, un autre peintre, Michel-Ange, dont la renommée était immense, commentait ironiquement les méthodes de Titien: «Il est bien dommage qu'à Venise l'on ne commence pas par apprendre à dessiner correctement.»

Michel-Ange, Rubens, David, Degas, Dali, pour ne citer qu'eux parmi les plus grands peintres d'hier et d'aujourd'hui, étaient ou sont partisans de construire et de dessiner avant de commencer à peindre. De Vélasquez, au contraire, on a dit «qu'il ne préparait pas ses portraits et, parfois, ne les dessinait même pas». Il procédait «alla prima» en attaquant la toile avec le pinceau. De Sorolla, on raconte qu'un pinceau chargé de peinture à l'huile peu épaisse (comme vous l'avez fait jusqu'ici dans les exercices précédents) lui suffisait pour indiquer sur la toile les proportions, la place des éléments, «l'allure générale» de l'œuvre. Sorolla —affirme le même auteur— attaquait directement, sans dessin préparatoire, commençait aussitôt à «tacher» et recouvrait la toile en un temps très court.

Je me permets de croire que les uns et les autres, chacun avec son système particulier, seraient d'accord avec cette règle énoncée par le professeur Waetzoldt:

«Un peintre né ne voit pas d'abord la forme et ensuite la couleur, mais des couleurs avec des formes, et des formes colorées, le tout en un.»

C'est la réponse logique, sans aucun doute. L'artiste doit s'y attacher, qu'il dessine ou non, qu'il peigne directement ou construise au préalable, avec plus ou moins de détails, le modèle qu'il va peindre.

Voyons maintenant le cas d'un amateur sans grande expérience —j'entends ici par «expérience» le fait d'avoir peint pendant quelques années tous les dimanches et jours de fêtes. Je crois fermement qu'il lui faut dessiner et construire à fond avant de commencer à peindre. En tant que professeur de dessin et de peinture, j'ai constaté un grand nombre de fois que maints travaux d'élèves commencent mal et se terminent tout aussi mal à cause d'une maîtrise insuffisante du dessin. J'ai pu également vérifier que nombreux sont les amateurs qui, tout en faisant preuve d'un grand désir d'apprendre, sont incapables de dominer leur impatience, leur désir effréné de voir le tableau terminé, ce qui les conduit invariablement à l'échec, par précipitation et absence de travail. Il ne manquerait plus que cela : voir le professeur donner à l'élève carte blanche, en lui disant qu'il peut peindre directement, sans dessin préalable !

En résumé, si vous possédez déjà le sens du dessin, du calcul des dimensions et des proportions, peignez directement si vous le désirez, en toute sécurité et sans préparation... ou bien limitez-vous à déterminer, en quelques traits, la place, les dimensions et les proportions des éléments du modèle. Si, au contraire, vous reconnaissez que le dessin est votre point faible, travaillez à fond et en conscience la construction. Pensez qu'au bout du compte, c'est le résultat final qui importe. Personne ne demande comment un tableau a été fait. Ce que les gens regardent et admirent, c'est ce qui a été fait.

En tenant compte de ce qui vient d'être dit, vous pouvez voir, aux pages suivantes, le tableau que je suis en train de peindre: a) Il est construit au moyen de simples traits de fusain ; seuls sont délimités les contours fondamentaux des objets par un dessin qui en détermine l'encadrement, la place, les proportions et les dimensions. Cela suffit pour commencer à peindre. Observez cependant (figure b) ce même dessin plus poussé : c'est une esquisse achevée également au fusain, et dans laquelle j'ai essayé d'exploiter le modèle en faisant valoir l'effet tonal d'ensemble.

Choisissez votre propre système, en accord avec vos possibilités.

MÉTHODE POUR LE DESSIN OU LA CONSTRUCTION D'UN TABLEAU À L'HUILE

Quel que soit le support que vous utilisez pour peindre —toile, papier, carton, bois— les méthodes et moyens employés couramment, pour dessiner le modèle que nous allons peindre, sont les suivants:

DESSIN AU PINCEAU CHARGÉ D'UNE PEINTURE À L'HUILE ASSEZ LIQUIDE

Vous connaissez déjà le système pour l'avoir pratiqué au cours des exercices précédents.

Je n'ajouterai qu'une chose : un dessin de ce type peut demander quelques traits de pinceau seulement, s'il ne s'agit que de situer le modèle, ou bien il peut se traduire par un dessin achevé dans lequel seront

a

b

même étudiés les effets d'ombre et de lumière. De toute façon, on travaille généralement avec une seule couleur que l'on adapte à la tonalité générale du thème, ou bien avec un gris moyen, ce qui semble le plus commode. Rubens mettait ce système en pratique en peignant et et en traduisant les valeurs avec un ocre foncé pour certaines parties, et un ocre plus clair pour d'autres; il obtenait ainsi une tonalité de base excellente par-dessus laquelle il peignait la couleur chair de ses personnages. Quelques artistes contemporains adoptent encore ce système.

DESSIN À LA SANGUINE

La sanguine, sorte de pastel de couleur, caractérisée par un ton Sienne rouge, a été employée par maints artistes, tout particulièrement dans le passé. Pour les tableaux à personnages et pour les portraits, elle donne de bons résultats. On travaille le trait avec le bâtonnet en estompant avec les doigts. Une fois le dessin-étude terminé, on ôte avec un chiffon propre l'excès de poudre.

DESSIN AU FUSAIN

C'est le moyen le plus classique pour dessiner sur toile. La rugosité de la toile et l'absence de dureté du fusain font que celui-ci trace et teint rapidement, tout en offrant la possibilité d'estomper avec les doigts. Il fournit enfin une facture très picturale. Le manque de stabilité du fusain facilite d'autre part l'intervention de la gomme pour retoucher, préciser, rendre la lumière et les rehauts... (Voyez les deux exemples, a et b, déjà mentionnés et ce dernier, en particulier, dans lequel vous pourrez constater sur la rose, la partition et le vase, les touches de gomme dont j'ai parlé.) Mais cette fragilité, ce manque de stabilité du fusain l'empêchent d'adhérer complètement à la toile; ceci se traduit par d'infimes particules de poussière qui se nichent dans les interstices et rugosités de la toile. Il est évident qu'il n'est guère facile de peindre à l'huile sur un dessin de ce type, car nous courons le risque de salir les couleurs, spécialement le blanc et les couleurs claires. Il est indispensable de débarrasser la toile de ces poussières à l'aide d'un chiffon propre. Le dessin disparaît alors presque complètement. Il n'en reste qu'un faible rappel mais il suffit cependant pour commencer à peindre.

Mais à quoi servent donc un dessin et une construction qui reflètent tous les jeux de lumière et d'ombre, de tons et de contrastes, si après le passage du chiffon, il n'en doit rester qu'une référence lointaine? Je dirai qu'ils servent à assurer, à fixer le souvenir de la forme, souvenir dont se servira l'artiste pour peindre par la suite —«en dessinant» avec des couleurs, des tons et des taches— et avec de plus grandes chances de succès.

Sachez en dernier lieu qu'il n'est pas conseillé de dessiner à la mine de plomb pour peindre ensuite à l'huile car le graphite peut tacher et foncer la peinture pendant le séchage. Pour les mêmes motifs, n'employez pas de crayon encre.

PAR OÙ ET COMMENT COMMENCER
UN TABLEAU À L'HUILE

La plupart des maîtres anciens tels que Titien, Véronèse, Vinci, Rubens, Vélasquez, Rembrandt commençaient leurs tableaux en peignant tout d'abord les zones d'ombre. Cela signifie qu'ils ressentaient la préoccupation du modelé —du dessin et du relief— en même temps que de la couleur; Chardin «exécutait en premier lieu les parties sombres en appliquant une mince couche de couleur»; Renoir suivait le même procédé mais sans obéir à une règle absolue : dans ses portraits et personnages, «il commençait généralement, avec une peinture diluée, à peindre les ombres marquées. Puis il attaquait le fond».

Cézanne, après une rapide esquisse, peignait parfois depuis le bord du tableau jusqu'au personnage, dont il gardait pour la fin l'exacte représentation. «Ce sera pour la fin» disait-il, ce qui peut bien paraître insolite mais correspond, en fait, à la formule «remplir d'abord le fond», c'est-à-dire la surface la plus vaste.

Si l'on tient compte du fait que les maîtres anciens peignaient presque toujours par-dessus «un dessin coloré», c'est-à-dire peint à l'huile avec une ou deux couleurs en harmonie avec la dominante prévue (Véronèse, par exemple, avec un ocre vert), ou bien peignaient sur des toiles de couleur (Vélasquez sur une toile Sienne rouge), il est compréhensible qu'ait prévalu chez eux l'idée de peindre en premier lieu les zones d'ombre. La formule est encore valable aujourd'hui pour les portraits et les personnages.

En peinture moderne, cependant, si nous considérons que nous peignons généralement sur toile blanche, et avec des couleurs plus lumineuses, et que nous sommes plus attentifs aux contrastes, il semble évident que la préoccupation première des peintres doit être d'éliminer le blanc de la toile pour ne pas faire de fautes de contraste... et de couleur.

Je m'explique : en accord avec les lois des contrastes simultanés, vous vous souviendrez que lorsqu'on peint une couleur foncée sur fond clair, ladite couleur semble plus foncée que si on la voit entourée d'autres tons. Nous dirons par exemple que pour peindre une fleur rouge sur fond blanc, il nous suffit d'un rose très intense —sans atteindre le rouge intense— pour obtenir l'impression de la couleur réelle. Si à

côté, nous peignions le fond en noir, nous verrions la fleur d'un rouge pâle, comme si nous l'avions éclaircie.

D'autre part, et en tenant compte des lois d'induction ou de «sympathie» des couleurs complémentaires, ce fond blanc donne naissance, dans le rouge de la fleur et autour de lui, à une nuance verdâtre (car le vert est complémentaire du rouge).

LOIS DES CONTRASTES

Contrastes simultanés:

1) Plus le fond qui l'entoure est sombre, plus pâle apparaît la couleur; et vice versa, plus le fond qui l'entoure est clair, plus sombre apparaît la couleur.

2) La juxtaposition de deux tons distincts entraîne l'exaltation de chacun d'eux. Le ton clair semble plus clair, le ton foncé plus foncé.

Loi du contraste maximal:

Le contraste maximal de couleur est donné par la juxtaposition de deux couleurs complémentaires.

Loi d'induction des couleurs complémentaires:

Pour modifier une couleur déterminée, il suffira de changer la couleur du fond qui l'entoure.

Loi de Chevreul:

Mettre une touche de couleur sur une toile n'est pas seulement teindre la toile de la couleur dont est chargé le pinceau. C'est aussi colorer, de sa couleur complémentaire, l'espace qui l'entoure.

Tout ceci nous donne une règle d'application générale pour répondre à la question: «Par où commencer»?

Commencez par peindre les espaces les plus vastes.

Ces espaces sont en général ceux qui offrent le moins de difficultés quant à la construction et au dessin: par exemple, le fond d'une nature morte, d'un portrait, d'un sujet à personnages; le ciel, pour un paysage; la mer, pour une marine. Il est possible que cette nature morte comprenne une table, une nappe, un objet de grande taille; que dans ce paysage figurent des montagnes ou des prés, des buissons ou des arbres qui occupent un espace assez important. Eh bien, commencez par ces vastes zones en essayant de «remplir» le plus vite possible, de peindre en éliminant le fond uniforme de la surface, surtout quand ce fond est gris, ocre ou rouge.

COMMENT?

Comment commence-t-on à peindre un tableau à l'huile? Avec peu ou beaucoup de relief? Avec des couleurs pâles, ou avec des couleurs intenses? Avec peu ou beaucoup de détails?

Pour tenter de répondre à ces questions, voici une brève leçon sur les techniques les plus courantes de la peinture à l'huile.

TECHNIQUES COURANTES DE LA PEINTURE À L'HUILE

Nous excluons, pour le moment, la technique de la peinture au couteau.

Nous pouvons choisir entre deux formules, ou techniques, employées couramment par l'artiste habile: celle dite de la «peinture directe» que caractérise le fait de peindre sur la peinture fraîche, et celle dite de «peinture par étapes», où le peintre mène l'oeuvre à son terme en plusieurs séances, travaillant sur la peinture sèche ou à demi sèche.

TECHNIQUE DE LA PEINTURE DIRECTE

Pour élargir la définition précédente, nous dirons que:

La peinture directe est celle où l'on achève l'œuvre en une seule séance, ou en plus d'une séance, mais à condition de maintenir la peinture toujours fraîche, humide, ou presque humide.

Comme vous l'avez déjà compris, le cas le plus représentatif de cette technique est celui de la peinture réalisée en une seule séance. En font partie intégrante: les dessins et les ébauches, en général; les croquis et les notes, ainsi que maints tableaux définitifs de la peinture moderne actuelle, dans lesquels l'artiste se soumet de lui-même à la brièveté d'une séance unique afin d'obtenir une facture plus énergique et plus spontanée.

Imaginez-vous les conditions auxquelles est soumise une œuvre réalisée en une seule séance de 4 à 5 heures?

1) Dès le début, le tableau doit être peint en vue de l'effet final.

Voici une façon concrète de commencer à peindre un tableau tout en «l'achevant» dès le début. Il faut commencer aussitôt par concilier l'intensité, les contrastes et l'harmonie des couleurs. Car il est bien évident que le «repentir» n'a pas cours dans cette technique: impossible de penser: «Pour l'instant je laisse... J'y reviendrai». On ne peut rectifier en grattant la peinture avec le couteau, comme on le fait dans d'autres techniques, sous peine de perdre la légèreté et la spontanéité qui la caractérisent.

2) Dès le début, l'artiste doit résoudre d'une manière immédiate et définitive, du premier jet, à la fois le dessin, le volume et la couleur.

C'est facile, n'est-ce-pas? Lorsqu'on peint en plusieurs séances, on prend note de la couleur d'un objet, on laisse en attente le modelé pour peindre les ombres et les rehauts. D'autre part, on ne se soucie pas le moins du monde de la forme, étant donné la possibilité de rectifier au cours des séances suivantes. On peut également intensifier les couleurs au dernier moment, lorsque l'effet d'ensemble est plus avancé. Pour ce qui est de la peinture directe, il ne faut compter sur aucun de ces petits avantages. Il faut dessiner, ombrer, éclairer, modeler, colorer aussi, en une seule fois et définitivement.

3) Dès le début, prenez l'habitude de peindre en empâtant bien.

C'est là une condition qui découle des deux précédentes et aussi des préférences de l'artiste, du thème choisi, etc. Dans les circonstances présentes, s'il adopte une manière de faire rapide, impressionniste, spontanée, il lui est possible de peindre en empâtant bien.

Voici quelques conseils d'ordre technique pour une peinture de cette nature :

— *Dessiner au pinceau imbibé de peinture et d'essence de térébenthine, avec une couleur foncée —gris bleu ou Sienne, selon la couleur dominante —en tachant toutes les zones sombres.*

— *Commencer à peindre les grandes surfaces avec une couche initiale très mince, beaucoup d'essence de térébenthine, pour former une sorte de glacis qui permette d'éliminer le blanc de la toile et d'obtenir une tonalité approximative.*

— *Attaquer immédiatement avec la couleur et une peinture plus ou moins épaisse les surfaces les plus vastes qui ne requièrent pas la peinture de détails.*

— *Peindre le reste, en séparant absolument les couleurs —pinceaux et palette propres—; traiter les volumes, d'abord par plans puis aussitôt après par mélange et par transition des couleurs juxtaposées.*

— *Résoudre les derniers détails à l'aide de pinceaux en poils de martre avec de la peinture diluée avec de l'huile de lin et un peu d'essence de térébenthine.*

Cette dernière formule permet le tracé et la peinture des lignes, des petites touches, c'est-à-dire la possibilité de peindre de petites formes sur des surfaces très humides encore fraîches. Naturellement, il est impossible d'insister sur ces touches ; il faut plutôt penser à «déposer la peinture» qu'à l'appliquer à francs coups de pinceau.

En résumé, voilà une technique vraiment difficile, mais qui donne des résultats surprenants lorsqu'existe la maîtrise du dessin, du relief et de la couleur.

PEINTURE DIRECTE EN PLUSIEURS SÉANCES

Dans la peinture directe en plusieurs séances, les problèmes à résoudre sont les mêmes mais ils n'atteignent pas les difficultés de la
séance unique.

Le tableau débute par une ou deux couches minces —qui correspondent à une ou deux séances— constituées de peinture à l'huile abondamment diluée avec de l'essence de térébenthine, sans être pourtant liquide. La durée de ces deux premières séances est relativement brève. On ne tend à rien d'autre qu'a s'approcher de la tonalité finale. On ne peint enfin, à chaque séance, que l'espace de quelques heures ; la peinture, sans être entièrement sèche, offre un certain mordant qui permet de rectifier et d'harmoniser la tonalité.

C'est au cours de la dernière séance qu'intervient la vraie peinture directe pour dessiner, modeler et peindre définitivement, avec une pâte plus épaisse, à plus ou moins grosses touches selon l'artiste.

Comme exemple de peinture directe —achevée sans doute en deux séances— voyez le «Vase bleu» de Cézanne, au Musée du Louvre à Paris. Observez la peinture du fond, extrêmement mince, à laquelle se superpose par la suite une couche plus épaisse. (Notez ce détail sur la pomme orangée de la droite, et au fond, sur la table ocre jaune.) Remarquez ce trait mince qui entoure la forme de la pomme en l'arrondissant. Cézanne l'a peinte suivant la technique précédente, avec un pinceau en poils de martre chargé de peinture diluée dans de l'huile de lin. Observez quelques points précis, la rapidité et la spontanéité propres à la peinture directe ont fait que de petites surfaces de toile ne sont pas peintes. Étudiez, d'autre part, ce désir de l'artiste d'enrichir la couleur, d'éliminer la monotonie et les tons continus, en tachetant et en hachant ceux-ci de couleurs similaires. Voyez enfin cette façon de provoquer les contrastes en accentuant et en découpant les contours pour que ceux-ci se détachent des fonds sur lesquels ils sont situés.

TECHNIQUE DE LA PEINTURE PAR ÉTAPES

C'est la technique lente et paisible des maîtres anciens, en vigueur aujourd'hui pour certains portraits et personnages en pied, d'une taille relativement grande. Son secret réside dans la division et l'organisation du travail. On peut la définir ainsi :

La peinture par étapes est celle qui mène à bien l'œuvre en plusieurs séances, la peinture étant sèche ou à demi sèche. On achève d'abord le dessin et le modelé, et on finit par la couleur.

Dès le début, cette technique diffère du tout au tout de celle de la peinture directe. Dans la peinture par étapes, la préoccupation première est tout d'abord de dessiner et de modeler, d'ombrer, d'éclairer. On reporte à plus tard la couleur. Quand, après deux ou trois séances, la construction est entièrement achevée, la couleur entre en jeu en plusieurs séances elle aussi. Il faut donner le temps à la peinture de sécher complètement ou presque pour trouver et appliquer la couleur d'une manière progressive, en allant de la moins intense et la moins contrastée à la plus intense et la plus contrastée.

La première partie, pendant laquelle l'artiste dessine et modèle, commence par de minces couches de peinture presque monochrome :

un gris légèrement nuancé par des couleurs chaudes ou froides —selon la gamme harmonique préalablement calculée— un ocre vert, un Sienne rouge, etc. A l'aide du blanc, on dessine et on modèle tout le tableau en étudiant à fond les valeurs et les contrastes.

Sur cette base solide, on commence alors à appliquer la couleur proprement dite, en couches plus épaisses.

Les premières couches, minces, ont l'essence de térébenthine pour diluant, sans intervention d'huile de lin. Les couches suivantes sont peintes avec la couleur telle qu'elle se présente au sortir du tube ou bien étendue avec davantage d'huile de lin que d'essence de térébenthine.

L'absorption par les premières couches aide au séchage des couches suivantes et permet de repeindre en opérant par frottis.

Quelques maîtres anciens, en atteignant les dernières couches, c'est-à-dire en peignant, développaient la méthode de peinture directe en plusieurs séances et obtenaient ainsi une facture plus libre et plus spontanée.

«GRAS SUR MAIGRE»

Vous avez sans doute remarqué qu'entre la technique de la peinture directe et celle de la peinture par étapes, il y a un lieu commun : la première couche doit toujours être mince et diluée dans de l'essence de térébenthine.

Cette coïncidence nous conduit à parler d'un dernier aspect théorique, avant de revenir définitivement au terrain de la pratique : l'étude d'une ancienne règle de la peinture à l'huile à laquelle les peintres d'aujourd'hui doivent toujours obéir : C'est la règle qui veut que l'on peigne «gras sur maigre».

Commençons par préciser certains aspects.

PEINTURE MAIGRE : C'est celle dans laquelle n'entre pas ou presque pas d'huile : la peinture à la détrempe, par exemple (c'est-à-dire la gouache). Ou bien la peinture à l'huile mélangée à l'essence de térébenthine, ce qui réduit la quantité d'huile.

PEINTURE GRASSE : C'est celle dans la composition de laquelle l'huile intervient en quantité normale ou en grande quantité. La peinture à l'huile, au sortir du tube, comporte une certaine quantité d'huile : cette quantité est normale ; elle augmente si on y ajoute de l'huile de lin.

L'ancienne règle «gras sur maigre» nous laisse entendre que :

la bonne peinture à l'huile exige un fond ou une première couche maigre sur laquelle il faudra appliquer des couches successives de peinture grasse.

Les maîtres anciens peignaient la première couche «à la détrempe à l'oeuf» méthode à laquelle on peut parfaitement substituer aujourd'hui la gouache. Ils appliquaient ensuite la peinture à l'huile. La plupart des artistes de la Renaissance oeuvraient ainsi. On suppose que Vélasquez a employé cette technique pour son célèbre portrait du Pape Innocent X.

De nos jours, très peu d'artistes, pour ne pas dire aucun, peignent à l'huile sur fond maigre de peinture à la détrempe. A notre époque il suffit de faire ceci:

Pour obéir à la règle «gras sur maigre», rappelez-vous la nécessité de peindre la première couche en employant une plus grande quantité d'essence de térébenthine que pour les couches suivantes.

Mais, me direz-vous, pourquoi toutes ces complications?

Pour deux raisons importantes: d'abord et surtout parce qu'en peignant gras sur maigre, on est assuré d'une meilleure conservation de l'œuvre; on évite de véritables désastres.

En effet, nous avons déjà dit que la peinture à l'huile, si on la dilue dans de l'essence de térébenthine, perd sa qualité huileuse, devient liquide et «maigre». Rappelons-nous, d'autre part, que l'essence de térébenthine sèche par évaporation et très rapidement. Je répète donc que la peinture maigre, employée en couches minces, sèche rapidement.

La peinture grasse, en revanche, épaisse de nature, contient de l'huile et sèche lentement; ce qui est pire, c'est qu'elle a l'air de sécher. Un filet de peinture à l'huile, gras au sortir du tube et déposé sur une toile, présentera, au bout de quatre à cinq jours, une mince couche ou pellicule apparemment sèche... sous laquelle la peinture restante demeurera encore humide et pâteuse. Ce reste de peinture, au fur et à mesure qu'il sèchera, fera se contracter et rétrécir la couche supérieure. Quand, au bout de deux ou trois semaines, toute la peinture aura séché, le filet de peinture ressemblera à une outre vide. Pensez que si cette peinture épaisse et grasse a été appliquée sur fond maigre, il arrivera la même chose que précédemment. Mais supposez que quatre ou cinq jours après avoir travaillé à la peinture grasse, vous appliquiez par-dessus une couche de peinture maigre, devinez-vous ce qui va se passer? La couche maigre va sécher rapidement, et devenir dure et compacte, comme une croûte mince, si mince qu'elle ne pourra résister aux contractions de la couche sous-jacente (voyez au bas de cette même page, un fragment du

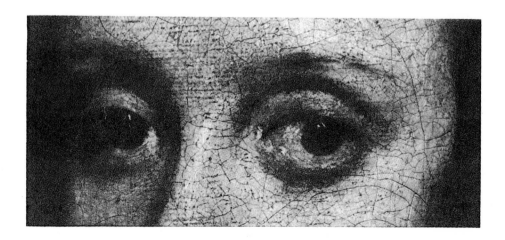

tableau de Vélazquez, «La Dame à l'éventail», et observez-en les craquelures).

La seconde justification importante de la règle «gras sur maigre» s'explique plus facilement : si la première couche est maigre elle sèche rapidement et permet de peindre, comme vous le savez déjà (le lendemain par exemple) sur fond sec ou à demi sec ; on a la possibilité de retoucher, de repeindre, de refaire, sans avoir à subir l'influence des couleurs antérieures, et en opérant par frottis.

Il nous reste peu de choses à apprendre sur l'art de peindre à l'huile. Devant nous, la toile et la nature morte (Beethoven, les roses) attendent toujours, prêtes à être peintes. Vous êtes là, à côté de moi, dans mon atelier, dans l'attente de ce qui va se passer. Eh bien, nous allons voir...

. . . .

Palette, pinceaux, couleurs...

Avec tous les pinceaux. Avec toutes les couleurs. Avec tout l'assortiment de couleurs couramment employé par les professionnels, disposé comme d'habitude, autour de la palette, vers le bord, de droite à gauche : en haut le blanc en plus grande quantité, suivi du jaune de cadmium, de l'ocre jaune...

PREMIER STADE: Tonalité générale

1. — Je commence par le fond avec une couche mince (si mince que dans la reproduction ci-jointe de ce premier stade l'on peut apprécier le grain de la toile). Je compose la couleur avec beaucoup de blanc, de l'ocre jaune, de la terre d'ombre brûlée et du bleu outremer. Je la dilue dans de l'essence de térébenthine. Lorsque j'atteins la partie inférieure droite, j'augmente la quantité de bleu outremer. A gauche, j'ajoute davantage de terre d'ombre et un tout petit peu de rouge.

2. — Je poursuis en peignant l'ombre portée du masque de Beethoven, avec la même couleur que le fond, en ajoutant du bleu de cobalt, de la terre d'ombre et un tout petit peu de rouge.

3. — Je passe au visage de Beethoven : je modifie la couleur antérieure en ajoutant du blanc et du bleu outremer. Pour peindre les reflets, je place quelques touches plus claires avec un tout petit peu d'ocre et un petit peu plus de blanc.

4. — J'ai oublié de vous dire que je peins à l'aide d'un pinceau en soies de porc, plat, n° 12.

5. — Avec le pinceau n° 8, je vais peindre la table : ocre, terre d'ombre, rouge, une pointe de carmin, un petit peu de vert émeraude. Il se peut qu'il manque un peu de blanc... Je l'obtiens en l'empruntant à la couleur du fond qui en contient déjà... et «c'est du blanc sale».

SALISSEZ VOS COULEURS

On a dit de Titien qu'il proclamait : «Salissez vos couleurs». Le Titien laissait entendre par là, la nécessité de ne jamais peindre avec des couleurs criardes, discordantes. En effet, jamais les couleurs de la nature ne sont intenses, absolues, telles un rouge-rouge, un jaune-jaune. Si nous les peignons, c'est parfois pour obtenir un effet déterminé. Mais il est de règle que pour imiter la nature, nous devons écouter les conseils de Titien en ajoutant «du bleu dans la majorité des cas», car le bleu est plus proche du gris, c'est la couleur des ombres, de l'espace, de l'atmosphère.

6.— Je peins le vase avec le pinceau n° 8, en ajoutant à la couleur dont il est déjà chargé de la terre d'ombre, du rouge, du carmin, du vert émeraude.

7.— J'attaque la partition avec le pinceau n° 12 encore chargé du gris chaud qui a servi pour le visage de Beethoven ; je peins d'abord «la bosse», la frange la plus sombre, au centre. Une simple frange. Je nettoie le pinceau avec le chiffon et je prends du blanc et du jaune. J'obtiens presque automatiquement ce gris jaunâtre du reflet. Je peins et fusionne, en dégradant (je décharge le pinceau à l'aide du chiffon), ce gris sombre de «la bosse» avec le jaune de la lumière réfléchie. J'achève avec le pinceau n° 4, plat, et du blanc propre, pour dégrader la partie supérieure éclairée.

8.— J'attaque la rose, avec deux pinceaux n° 4. Retenez bien les couleurs :

> Blanc propre et rouge propre pour les roses clairs.
> Blanc, carmin et bleu de cobalt pour la partie ombrée de ce pétale qui semble enroulé.
> Jaune et ocre, avec du rouge pour les reflets orangés (éclaircir avec le premier rose pour obtenir une meilleure harmonie).
> Carmin, terre d'ombre et rouge ; un petit peu de bleu de Prusse à éclaircir, le cas échéant, avec les roses claires, toujours pour obtenir une meilleure harmonie.

Vous avez donc toutes les couleurs nécessaires pour peindre la rose et le bouton.

9.— Je finis par les feuilles : celle de la tige, du bouton, la partie supérieure avec du vert émeraude et de la terre d'ombre brûlée, du carmin et du bleu outremer (outremer car il rend gris). Le vert émeraude sera toujours la dominante. Pour les feuilles restantes, la même couleur que précédemment, avec de l'ocre et du rouge (pas du tout de blanc). Vous pouvez ajouter, le cas échéant, du jaune.

PREMIER STADE

DEUXIÈME STADE: Accord général des tons

Nous allons voir ce qu'il en est de ce deuxième stade...

Je ne vous ai rien dit, mais vous êtes-vous rendu compte qu'il y a eu un moment, ce matin, où les nuages ont caché le soleil, comme maintenant. L'atelier où nous nous tenons a pris alors un reflet bleuté. C'est peu de chose, mais l'atmosphère a perdu ce ton chaud, doré qui avait prévalu jusqu'alors. Au même instant, j'ai pensé qu'un fond bleu vert contrasterait davantage que ce fond crémeux du premier stade.

Cela ne fait plus de doute! Et c'est normal! Comment n'y avais-je pas pensé plus tôt? Les fleurs sont roses, mais, dans l'ombre, elles sont orangées, vermillon, voire rouges. Le vert est la couleur complémentaire du rouge. Un fond vert intense contrasterait au maximum avec le rouge, mais l'effet en serait très désagréable. Mais avec un fond vert clair, légèrement teinté de bleu, j'obtiendrai une parfaite harmonie de tons et un contraste accentué également parfait.

Il en est ainsi, du moins en théorie. Il existe à ce sujet une règle qui vaut la peine d'être rappelée:

**Deux couleurs complémentaires d'intensité
inégale s'harmonisent parfaitement.**

Dans la pratique,... nous allons voir.

10. — Je recommence à peindre le fond avec la même couleur que précédemment, en ajoutant maintenant du vert émeraude, du bleu outremer, et un tout petit peu de terre d'ombre brûlée.

11. — Non, ce n'est pas ça. Il faut nettoyer le pinceau avec le chiffon et composer un nouveau ton dans lequel interviendront un peu de jaune et d'ocre, en plus des couleurs mentionnées.

12. — Voilà... C'est mieux. Le fond n'est pas aussi propre que je l'aurais voulu, mais je ne peux rien faire de plus pour l'instant.

13. — Bien sûr, il faut harmoniser à nouveau l'ombre du masque de Beethoven avec la même gamme en ajoutant à celle-ci du bleu outremer et un petit peu de carmin. Pour le visage, la nouvelle couleur du fond, avec du blanc et du bleu outremer.

14. — Table, partition et vase sont quelque peu nuancés par le vert et la terre d'ombre brûlée (voyez la figure qui correspond à ce deuxième stade).

15. — Eh bien, vous voyez! Il y a un quart d'heure que j'ai attaqué la rose et je n'ai rien résolu. Décidément, il vaut mieux recommencer à partir de zéro.

SECOND STADE

RETOUCHES SUR LE FOND

Nous avons dû y venir! Non que la rose ait été dès le début un modèle de perfection... Mais il est toujours douloureux de faire marche arrière! Faites-le vous aussi quand c'est nécessaire! N'y manquez pas! Pensez que vous y gagnerez toujours. Vous allez voir: c'est très simple.

I. — Je fais une boule avec un chiffon propre. Je la passe doucement sur la partie peinte.

II. — Je prends un autre chiffon propre. (Je touche à une partie du fond, c'est évident!) Voilà qui est fait. Ce qu'il y a de bon, c'est qu'il reste toujours un peu de la couleur précédente, mais sale, grise, sur laquelle on repeint.

Puisque nous y sommes, disons que ce genre de retouches peut se faire également au couteau si la couche de peinture est épaisse. Une fois le couteau passé, on emploie le chiffon, comme précédemment.

---

16. — Cela en valait la peine. La rose a été terminée en un instant, les détails sont meilleurs et la couleur aussi. Mais j'ai oublié de vous le dire: avant de la repeindre, j'en ai cerné les contours d'un trait épais couleur terre d'ombre brûlée ou bleu de Prusse —presque noir— largement dilué dans l'essence de térébenthine. J'ai fait la même chose au premier stade.

17. — Bien sûr, les retouches ont mangé une grande partie des feuilles. C'est sans importance: je les repeins un peu plus grandes —prenez note de ces détails—, et je les fais se détacher sur le fond par la couleur et par la forme jusqu'à ce que... Mais... laissons cela pour demain.

TROISIÈME ET DERNIER STADE: Harmonie générale et achèvement

Ces heures de transition, de calme, entre hier et aujourd'hui, ont été les bienvenues. Elles le sont toujours. Le fait de laisser son travail puis de le reprendre, laisse à l'artiste la possibilité de mûrir, de prendre du champ, de voir par la suite, dans le modèle, des nuances, des couleurs, des aspects différents. De voir aussi les défauts nouveaux et de les réparer. Pour ce qui est de notre tableau, l'essence de térébenthine a gagné la bataille de l'imperméabilité de la toile. La peinture offre alors un mordant tout à fait approprié pour finir par une séance de peinture directe.

---

18. — J'emploie davantage de peinture pour couvrir, mais sans exagérer, tout le grain de la toile.

19. — Je reviens au fond. Quelques essais, quelques doutes, et nous y sommes: vert émeraude, jaune, ocre, terre d'ombre et bleu outremer.

TROISIEME ET DERNIER STADE

Et du blanc, bien sûr. Dans la partie supérieure droite, j'accentue la tendance jaune, et en bas, dans la partie gauche, je charge de bleu outremer et de vert émeraude.

20. — Je reviens au masque. Pour le fond, toujours de la terre d'ombre brûlée et du bleu outremer pour les ombres. Pour la moitié du visage qui est éclairée, je peins avec du blanc légèrement teinté de la couleur du fond et d'une petite dose de bleu outremer. Ce bleu outremer mélangé à du blanc pur donne un résultat idéal pour les reflets de la partie supérieure. (N'oubliez pas : palette, pinceaux et couleurs propres !) Pour l'ombre j'ai mis un peu de bleu de Prusse, ce qui rend le visage encore plus lumineux et plus transparent.

21. — La construction de la tête me préoccupe. Heureusement, les couleurs à l'huile, dans la peinture directe, permettent de déplacer, de rectifier sans difficulté.

22. — J'éclaircis la partie sombre de la partition. Je peins la portée, les notes et le titre de l'œuvre à leur place, mais de façon à ce qu'il en émane une impression de confusion, d'imperfection. J'emploie un gris vert mélangé à de la terre d'ombre (moins foncé dans la zone éclairée que dans la zone d'ombre).

23. — Je reviens au masque pour la dernière fois : j'ai peint avec le petit doigt pour déplacer quelque peu la ligne d'ombre du nez... J'ai remis à sa place exacte ce pli ou ride qui part de l'aile du nez, au-dessus de la commissure. Je travaille donc avec la pulpe du doigt, sur lequel j'ai «déposé» de la couleur claire pour recouvrir et déplacer la partie sombre. Essayez : vous verrez que c'est très facile.

COMMENT PEINDRE AVEC LES DOIGTS

Léonard de Vinci et Titien nous ont renseignés les premiers sur ce «truc» de métier. Il est probable que tous les peintres de la Renaissance l'employaient.

Titien parvenait à peindre, non seulement avec tous les doigts, mais encore avec le dos et le tranchant de la main, ce que j'ai fait moi aussi, et avec de bons résultats. Naturellement, il ne s'agit pas de prendre avec les doigts la peinture de la palette et de la déposer sur le tableau, comme nous le faisons avec un pinceau, mais de travailler avec les doigts sur des surfaces déjà peintes.

Précisons cependant que cette manière de peindre est occasionnelle et sert à obtenir des effets déterminés à des moments déterminés. Elle est utile tout particulièrement pour fondre et dégrader finement, et pour déplacer légèrement les intersections de lumière et d'ombre. On l'emploie la plupart du temps pour les portraits, les études de personnages et dans la peinture de sujets dont le dessin, le modelé et la couleur doivent être très exacts. Pour le masque de Beethoven, par exemple, les doigts sont intervenus très souvent pour modeler, dégrader, estomper. C'est si facile ! Beaucoup plus facile qu'avec le pinceau, car la maîtrise est plus efficace, la distance étant moindre, et la pression plus sensible et plus précise.

D'autre part, les doigts lissent, émaillent presque la peinture, si bien qu'il est commode, par-dessus une partie ainsi traitée, d'appliquer une couleur claire, pour un détail. C'est ce que j'ai fait par exemple pour les bords des pétales de la rose. J'ai d'abord taché au pinceau plat n° 4 les parties sombres de ces roses et de ces carmins. Ceci sans quitter des yeux le modèle. Puis j'ai travaillé ces mêmes parties avec la pulpe du petit doigt et de l'annulaire pour fondre, dégrader et lisser. En dernier lieu, je n'ai eu qu'à peindre avec un pinceau de poils de martre chargé de blanc, de rouge et de carmin, non dilués, pour réussir à faire exactement ce que je voulais.

---

24. — Vous pouvez continuer seul, n'est-ce-pas?
Un dernier conseil :

TERMINEZ À TEMPS

Rien de plus difficile pour l'artiste que de «terminer à temps», que de cesser de peindre avant que l'œuvre ne devienne mièvre, léchée, sans expression. Mieux vaut un résultat plus grossier, et une esquisse achevée.
Gauguin disait à ce sujet : «N'essaie pas de trop achever ton œuvre. Une impression heureuse ne persiste jamais au point de voir sa fraîcheur première survivre à la longue recherche d'une multitude de détails».
25. — Signez. Une signature discrète, par la taille et par la couleur. Puis, quelque temps après, si vous le désirez, vous pouvez vernir votre tableau.

26. — VERNISSAGE D'UN TABLEAU

Le vernissage d'un tableau a pour but :

1°. — De protéger la peinture de la poussière et de la saleté (car un vernis à l'huile peut être lavé à l'eau sans aucun risque); mais la meilleure protection est une plaque de verre.

2°. — A rendre plus brillantes et à mettre en valeur les couleurs qui, par leur constitution même, ou pour avoir été diluées dans un excès d'essence de térébenthine, ont un aspect mat.

3°. — A unifier le relief et l'éclat de toute l'œuvre.

Le vernissage n'est pas adopté par tous les peintres d'aujourd'hui; ils préfèrent des couleurs mates qu'ils obtiennent en excluant, en partie ou totalement, l'huile de lin, et plus encore en employant des supports aussi absorbants que le carton ou le bois recouvert d'un enduit mat.
L'inconvénient majeur du vernissage réside précisément dans son principal avantage : les reflets brillants. Ceux-ci nuisent, dans certains cas, à une vision correcte du tableau.
Le vernis pour tableaux se vend tout préparé, en flacons. Pour l'appliquer, il est indispensable que la peinture soit tout à fait sèche. Il faut prévoir au moins un mois. L'application du vernis, enfin, se fait avec

un pinceau large, plat, en poils de martre de préférence, ou à défaut, en soies de porc.

Peindre fatigue! Le dramaturge américain, Tennessee Williams, dans son œuvre «La **Chute** d'Orphée», met dans la bouche de l'un de ses personnages, ce thème de la peinture et de la fatigue. Il dit:

«J'ai passé ma journée à peindre.
J'ai achevé ce tableau en dix heures.
Je ne me suis arrêté que pour manger,
Et je suis si fatigué que je tombe de sommeil.
Non, il n'est rien au monde
De plus épuisant que de peindre.
Ce n'est pas seulement le corps qui se fatigue,
Il semble que l'on se consume de l'intérieur.
Comprenez-vous ce que je veux dire?
C'est... comme si une part de l'être
Brûlait à l'intérieur.
Mais en achevant l'œuvre,
On sent que l'on a rempli une mission...
Et l'on a la sensation de faire partie de quelque chose.
De quelque chose de grand et d'élevé.»